WEB+DB PRESS plus

すらすらと手が動くようになる

SQL 元祖
書き方ドリル

改訂第4版

JN176277

羽生 章洋
和田 省二／菅井 大輔

技術評論社

ご注意●ご購入・ご利用の前に必ずお読みください

本書に記載された内容は、情報の提供のみを目的としています。したがって、本書を用いた運用は、必ずお客様自身の責任と判断によって行ってください。これらの情報の運用の結果について、技術評論社および著者、プログラムの開発者はいかなる責任も負いません。

本書記載の情報は、2024年11月現在のものを掲載していますので、ご利用時には、変更されている場合もあります。

また、ソフトウェアに関する記述は、特に断りのないかぎり、2024年11月現在での最新バージョンをもとにしています。ソフトウェアはバージョンアップされる場合があり、本書での説明とは機能内容や画面図などが異なってしまうこともあります。本書ご購入の前に、必ずバージョンをご確認ください。

付属ソフトウェア（ダウンロード提供）は、必ず295ページに記載されている内容をお読みになった上で、ご利用ください。「本書付属オンラインコンテンツとソフトウェアに関するご注意」「SQUATに関する禁止事項」「SQUATで使用しているオープンソースソフトウェアについて」の内容が記載されています。本書付属ソフトウェアは、必ず上記の内容をお読みになり、承諾された上でご使用ください。

ダウンロード提供の本書付属ソフトウェアの利用は、必ずお客様自身の責任と判断によって行ってください。本書付属ソフトウェアを使用した結果生じたいかなる直接的・間接的損害も、技術評論社、著者、プログラムの開発者および本書付属ソフトウェアの制作に関わったすべての個人と企業は、一切その責任を負いません。

以上の注意事項をご承諾いただいた上で、本書をご利用願います。これらの注意事項をお読みいただかずに、お問い合わせいただいても、技術評論社および著者は対処しかねます。あらかじめ、ご承知おきください。

PostgreSQL は、以下の著作権を有します。
PostgreSQL Database Management System
(formerly known as Postgres, then as Postgres95)
Portions Copyright © 1996-2024, The PostgreSQL Global Development Group
Portions Copyright © 1994, The Regents of the University of California
Oracle、Java、MySQLおよびNetSuiteは、Oracleおよびその関連会社の登録商標です。その他の名称は、それぞれの所有者の商標である可能性があります。
Copyright © 1997, 2024, Oracle and/or its affiliates
Microsoft、SQL Server は米国Microsoft Corporation の米国及びその他の国における、商標ないし登録商標です。
Copyright © Microsoft Corporation 2024. All rights reserved.

はじめに（改訂第4版によせて）

　前回の改訂から8年以上、そして初版から約20年が経過しての今回の改訂第4版となります。今回の改訂におけるポイントは「環境の変化への対応」です。具体的には大きく2点です。ひとつめは「付属ソフトウェアとコンテンツのダウンロード化」です。従来はCD-ROMに収録して本書に付属する形式でした。しかし2020年代も半ばとなった現在ではCD-ROMを読み込める環境は激減しており、せっかくの各コンテンツも手軽にご活用いただきづらい状態になってしまいました。この状況に対応するために、今回からダウンロードしていただけるようにしました。結果としてCD-ROMが付属しない形式になりました。

　もうひとつは「各クラウドプラットフォーム上での動作確認の対応」です。前回の改訂第3版のころはクラウドサービスといってもまだRDBMSをサービスとして提供しているのは限定的でした。そのため基本的にはローカルの環境に各RDBMSをインストールして利用するというシチュエーションが主たる想定でした。しかしこの8年の間に各クラウドプラットフォームにおいて、主要なRDBMSが軒並みサービスとして提供されるようになりました。むしろスケーラビリティなどを鑑みるとクラウド上の各サービスを利用するほうが良いケースも増えてきました。そこで今回あらためて各プラットフォーム上で本文中のSQLを動作検証を行い、安心して現代の環境においても本書をご活用いただけるように裏打ちしました。

　このように時代の変遷に伴った環境対応を行う一方で、内容については初版から20年経った今回も変わっていません。今も昔も変わりなく実務でご活用いただけます。これは流行り廃りの激しいITの世界において稀有なことであり、特定のツールやソフトウェアに依存せずに今後も将来に渡ってSQLの知識とスキルが適用していけるであろうと力強く感じられるものです。

　この文章を書いている現在は生成AIの話題が大きく盛り上がっています。今後はSQLもAIが生成する時代になり、SQLのスキルは不要になるのではないかという意見もあります。その正誤の判定は未来に任せるしかないのですが、いつの時代のビジネスにおいても複式簿記が基礎教養であるのと同様に、データというものがますます重要となる21世紀の中盤においてはSQLがいわばデータ活用における複式簿記のような位置付けとなっていくのではないかと感じてもいます。また高校の授業で「情報I」が必修科目に、そして大学入学共通テストの選択科目にもなりました。この情報Iの中でRDBMSやSQLについても知ることになります。このような時代背景を考えると、むしろ今こそSQLを習得しておくほうが良いのではないかとすら思えてきます。

　本書は手が動くようになるためのものです。つまり単に知識として知っているだけにとどまるのではなく、スキルとして習得していただくことを目的としています。データ活用が一部の専門家だけのものでなく、一般の人にとっても広くあまねく身近なものになっていく、そんな21世紀を軽やかに生きていく、そのひとつのツールとして本書をご活用いただければうれしく思います。

　では、SQLの素敵な世界にお越しください。

2024年11月　羽生 章洋

はじめに（改訂第3版によせて）

　本書は、前回の改訂から10年以上が経過しての改訂3版となります。10年も経ってるのだから冒頭からいろいろと語ることがあるはずと思っていたのですが、いざ書こうとすると何も書かなくてもいいのではないか、という気持ちになるのが正直なところであり、それがSQLと、そして手前味噌ですが本書のすごいところだとあらためて感じるしだいです。

　本書の第1版が世に出てからずいぶんと年月が過ぎました。当時はまったく存在しなかったスマートデバイスが今では当たり前のものとして定着し、それと呼応するようにクラウドという概念も実務で当たり前になりました。そしてNoSQLという概念が出てくるに至り、もはやRDBMSやSQLは過去のものになるかのように思われた時期もありました。

　しかし現実は、NoSQLが提示したさまざまな可能性を飲み込む形でRDBMSは進化を続け、クラウドという劇的な環境変化にも対応して、これまでと変わらずまだまだデータマネジメントにおける中心的な役割を担い続けています。また一方でビッグデータという言葉が脚光を集める中で、RDBMS以外の分析基盤も多数登場してきました。そしてそれらの多くが分析用言語としてSQLを採用しています。

　このような事実の数々を目の当たりにすると、SQLという言語は21世紀も中盤に差し掛かりつつある現代において、古びるどころか、ますますその存在価値を強めていると言ってもけっして過言ではないでしょう。

　そんなSQLを楽しく気軽に、そして確実に習得するために生まれたのが本書です。暗記してわかったつもりになっていながら現場に入ってうろ覚えで困ってしまうのではなく、すらすらと手が動くようになってもらう。その一点のために本書はずっと工夫を積み重ねてきました。おかげさまで多くの方々に愛され続けて、実際にプロになってから非常に役だったというお声もたくさん頂戴しております。

　鉛筆を持って紙に手で書いて身に染み込ませる。しかもそのときに書き順を意識することで理解度を深める。SQLの習得においてこれらの方法を世界で最初に導入した第1版に続き、改訂2版（改訂新版）では何度もPCに向かって手を動かすことができるように、反復学習用のアプリケーションSQUATを提供しました。そして今回は、クラウド時代にもこれらの手法が通用することをしっかりと検証しました。ですから本書でしっかりと学んで習得していただければ、そのスキルは一生もので役立ち続けるものだと自信を持ってお届けできます。

　ITのIはインフォメーション（情報）のIです。そのインフォメーションの原単位となるデータを縦横無尽に操る、それがSQLです。そんなSQLの習得を通して、本当のITプロフェッショナルへの第一歩を踏み出してください。

2016年3月　羽生 章洋

はじめに（改訂新版によせて）

　「手が動く」。それが本書の一番の目標でした。おかげさまで初版は、その狙いが現場のニーズに合致したのかご好評をいただきました。この目標をさらに追いかけたのが本書です。
　今回の改訂新版においては、手を動かすということをさらに気軽にかつしっかりと取り組んでいただける一助とすべく、トレーニング用のソフトウェアを本書用にオリジナルで開発し、添付いたしました。読み流してわかったつもりになるのではなく、実際に手を動かして体に沁み込ませていただければ、と考えています。
　システム開発をするに際して、昨今ではリレーショナルデータベース管理システム（RDBMS）の利用はほぼ当たり前となっている感があります。業務システムやWebサイトのみならず、最近では組込みの世界においても徐々にRDBMSの利用が増えているとも聞いています。
　RDBMSを使うプログラムを開発するときに、ほぼ確実に必要となるのがSQLです。SQLは普通の手続き型のプログラミング言語とは異なるため、苦手意識を感じる方もいるようです。そういう人たちにとっての福音として、最近では各種フレームワークの進化などによってある程度まではSQLを記述しなくても、自動的にデータベース操作ができるようにもなってきました。書かずに済むならそうしたいという気持ちは理解できます。
　ですが、いざどうしても書かなければならないようなシチュエーションになったとき、必要とされるのは途端に難易度の高いSQLになるというのはよくある話です。このようなとき、単に入門書を読み流していたのと、実際に手を動かして実感を得ているのとでは、自分の中の安心感がずいぶんと変わってきます。
　本書はタイトルのとおり、ドリルです。学校の授業において教科書と辞書とドリルがあったように、RDBMSを使う現場においても、従来どおりの解説書とリファレンスマニュアル以外に、トレーニングのためのドリルが必要だと考えて本書を執筆しました。
　業務で使うSQLの基本的なパターンは網羅しました。いざというときのために、一日数分で構いません。ぜひ問題を解いてみてください。その蓄積が活きるときが必ずあるでしょう。量は質に転化する。少しでもあなたのお役に立つことができれば嬉しく思います。

2007年4月　羽生 章洋

はじめに（初版）

　ほとんどすべての企業にコンピュータが置かれるようになり、インターネットの普及でそれらが相互につながるようになった今、コンピュータには莫大な情報が蓄えられています。昨今、社会問題となっている個人情報も、企業の売上、在庫、資材から財務までのあらゆる情報も、どれもコンピュータに保存されています。そしてこれらの情報を実際に管理・運用しているのが、データベースです。データベースにはいくつかの種類がありますが、上記のような重要なデータを管理するために使用されているもののほとんどは、リレーショナルデータベース管理システム（RDBMS）です。いまやエンジニアにとって、RDBMS を操作するための言語である SQL は避けては通れないものとなっていると言えます。

　一方で、現在手にとることのできる SQL に関する書籍は、リファレンスをわかりやすくしたものか、非常に高度なものか、という状態であり、開発・運用の実務における基礎的なスキルをつけるためのものがまだまだ少ないのが実情ではないかと思います。

　本書は「SQL 書き方ドリル」というタイトルのとおり、実際に手を動かしながら SQL を身につけていくことを主眼として書きました。リファレンスで何を調べればいいかを現場で思いつくには、基本的な SQL がすらすらと手が動く程度に身体に染み付いていなければなりません。

　「知っている」と「手が動く」の間には、想像以上の差があります。

　本書の目的はこのように、取り上げている SQL をすらすらと書けるようになっていただき、現場ではリファレンスをがんがん読みこなしながら仕事を進めていけるレベルになっていただくということです。そしてそのために、ドリル形式で学習していきます。ちょうど小さい頃、漢字の書き取りや算数の九九を学んだときのように、です。手が動くようになると、コードを書くのが楽しくなります。楽しい仕事はどんどんと能率が上がっていきます。その第一歩として、あるいはすでにスキルがある方は復習の材料として、本書を活用していただければと考えています。

　では、心の準備のできた方から、SQL の素敵な世界にお越しください。

2005 年 4 月　羽生 章洋

目 次

ご注意（ご購入・ご利用の前に必ずお読みください） 2
はじめに（改訂第4版によせて） 3
はじめに（改訂第3版によせて） 4
はじめに（改訂新版によせて） 5
はじめに（初版） 6

準備編

第1章 すらすらと手が動くようになるための学習の進め方 11

この本は何なのか？ 12
どんなふうに活用すればいいの？ 13
しっかり習得してもらうために 15
もろもろの補足など 19
本書付属コンテンツとソフトウェア 21
さあ、はじめよう！ 22

練習編

第2章 ひとつのテーブルを扱う 23

その1 ● データを取り出す　　顧客一覧を出してくれ 24
その2 ● 複数の列を指定する　　商品ごとの単価を出してくれ 29
その3 ● 列に別名をつける　　項目の名前がわからない 34
その4 ● 列の値に対して演算を行う　　税込価格で一覧を出してくれ 39
その5 ● 列同士で演算を行う　　社員の健康状態を一覧で出してくれ 44
その6 ● 文字列の連結を行う　　名札を作ってくれ 50
その7 ● 集合関数を使う　　平均を教えてくれ 55
その8 ● ある条件でレコードを絞り込む（1）　　身長が大きな人を教えてくれ 60

その9 ● ある条件でレコードを絞り込む（2）
　　　　「〜子」という名前の人の人数を教えてくれ　　　　　　　　　　　　　　66

コラム 「*」って何？　　　　　　　　　　　　　　　　　　　　　　　　　72

その10 ● 列の値に条件を設定する　　単価別にランク付けしてみてくれ　　　　73
その11 ● グループ単位で集計する　　都道府県別の顧客数を教えてくれ　　　　80
その12 ● グループ単位で集計した結果を絞り込む（1）
　　　　顧客数が3人以上の都道府県を教えてくれ　　　　　　　　　　　　　88
その13 ● グループ単位で集計した結果を絞り込む（2）
　　　　法人客の数が2人以上の都道府県を教えてくれ　　　　　　　　　　　95
その14 ● クロス集計を行う　社員の血液型別の人数ってどうなってるんだろう　103
その15 ● 並び替えを行う　　単価の安い順に商品名を出してくれ　　　　　　113
その16 ● 重複を排除する　　住所一覧を出してくれ　　　　　　　　　　　　121

練習編

第3章　複数のテーブルを扱う　　　　　　　　　　　　　　　127

特別講義(1) ● 結合とは　　ここから先に進む前に！　　　　　　　　　　　　128
その1 ● 副問い合わせを使う　　販売数量がゼロの商品を教えてくれ　　　　130
特別講義(2) ● テーブルに別名をつける　ここから先に進む前に！　　　　　　139
その2 ● 複数テーブルの結合を行う（1）　再び都道府県別の顧客数を教えてくれ　141
その3 ● 複数テーブルの結合を行う（2）　部門別の平均給与額を教えてくれ　151

コラム 名前付きSELECT文としてのビュー　　　　　　　　　　　　　　158

その4 ● 外部結合を使う　　全部の商品の平均販売単価を教えてくれ　　　　159
その5 ● 自己結合を使う　　セット商品の候補を考えてくれ　　　　　　　　167
その6 ● 相関副問い合わせを使う
　　　　商品別の平均販売数量よりも多く売れている日を教えてくれ　　　　173
特別講義(3) ● 集合演算とは　ここから先に進む前に！　　　　　　　　　　182
その7 ● UNION ALLを使う　顧客と社員の名前一覧を出してくれ　　　　　　183
その8 ● UNIONを使う　　重複のない顧客・社員の名前一覧にしてくれ　　　190
その9 ● INTERSECTを使う　給料日に販売をした社員の一覧を出してくれ　　197
その10 ● EXCEPTを使う　販売をしたことがない社員の一覧を出してくれ　　205

練習編

第4章 追加・更新・削除 213

- その1 ● レコードを1件追加する　新商品を追加しておいてくれ 214
- その2 ● 副問い合わせを使って追加する　今までの売上を元に特別ボーナスを出そう 221
- 🔷 コラム **NULL のお話** 230
- その3 ● レコードを更新する　商品価格を変更しておいてくれ 232
- その4 ● 特定のレコードを更新する　顧客の住所を変更しておいてくれ 237
- その5 ● 更新条件に副問い合わせを使う
  　　　　販売個数の多いものの単価を少しアップしよう 243
- その6 ● 他のテーブルの値を使って更新する
  　　　　特別ボーナスにさらに勤続年数の分だけ上乗せしよう 252
- その7 ● レコードを削除する　給与データを消去しておいてくれ 265
- その8 ● 特定のレコードを削除する　退職した人のデータを削除しておいてくれ 268
- その9 ● 削除条件に副問い合わせを使う　販売数量がゼロの商品を削除してくれ 272

実 践 編

第5章 応用問題 279

- その1 ● SQL を SELECT 文で作成する 281
- その2 ● 月別販売額一覧の作成 282
- その3 ● 社員別・月別販売額一覧の作成 283
- その4 ● 商品別・月別販売額一覧の作成 284
- その5 ● 顧客別・商品別販売額一覧の作成 285
- その6 ● 都道府県別・商品別販売額一覧の作成 286
- その7 ● 部門別・月別平均給与一覧の作成 287
- その8 ● 月別・カテゴリ別販売額一覧の作成 288
- その9 ● 商品別3ヶ月販売推移表の作成 289
- その10 ● 顧客コードの再編 290

さらなるステップアップに向けて ……………………………………………… 291
おわりに ……………………………………………………………………………… 292

オンライン付属コンテンツとソフトウェア

付属PDFコンテンツ

ガイド編 学習用データベースの構成と SQUATの導入方法・使い方

・学習用データベースについて
・付属オンラインコンテンツについて
・素振りソフトウェアSQUAT活用ガイド

解答編 第2章〜第4章「練習問題」、第5章「応用問題」の解答

ソフトウェア

反復学習用ソフトウェアSQUAT

HTML

SQL書き方ドリルリファレンス

SQLスクリプト

サンプルテーブル作成用SQLスクリプト
解答SQLスクリプト

準備編

第1章

すらすらと手が動くようになるための学習の進め方

準備編

🐱 この本は何なのか？

　IT、特にソフトウェア開発に関わっていると、SQLを書く必要に迫られることが意外と多くあることに気づきます。本書はそのようなSQLを書かなければならない場面で、「すらすらと手が動くようになる」ことを目指して書かれています。手が動くようになるには練習が不可欠！　そこで本書は「SQLドリル」という形式で作られています。

　子供の頃に学校で勉強を習ったとき、教科書（テキスト）と辞書とドリルの三点セットを使っていたことかと思います。しかしSQLを習得するにあたって、世の中には入門書や中上級者向けの解説書（教科書）や詳細について調べるためのリファレンスマニュアル（辞書）は豊富に存在するのですが、三点セットの最後のひとつ、つまり練習を積み重ねるためのドリルというものが見当たりません。そこで作ったのが、この本です。

　本書は「実際に手を使って」実力をつけるための練習問題集です。教科書ではありません。ですから、「SQLって何？」「SQLについて全然知らないので入門書がほしい」という方は、まずほかの入門書をお読みください。また自分が利用しているRDBMSで使えるSQLの詳細な機能などについて調べたい場合は、各RDBMS用のリファレンスマニュアルをご利用ください。

どんなふうに活用すればいいの？

　では、SQLの実力をつけるために、本書はどのようなしくみになっているのでしょうか。本書をどのように活用すればいいのでしょうか。

　まず、この本の構成について説明します。本書は大きく、「準備編」「練習編」「実践編」の三部に分かれています。

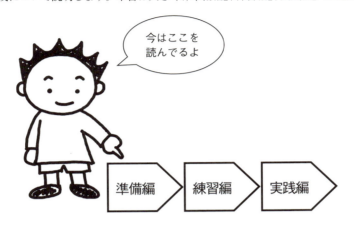

準備編（第1章）

　「準備編」は今お読みいただいている、本章です。練習編や実践編での学習を充実したものにしていただくために、本書のしくみと学習方法について、さまざまな説明をしています。

練習編（第2章〜第4章）

　「練習編」は本書の中心となる章です。この本では、あなたは「架空の小さなお店」の従業員のひとりとして、上司のさまざまな要望に応えるためにSQLを駆使していくことになります。

上司からの要望のひとつを1単元として、その要望に応える形で学習を進めていきます。各単元は、それぞれ「学習パート」と「ドリルパート」で構成されています。

●学習パート

練習は次のような流れで進めていきます。まずは学習パートです。

1.「問題」を読みましょう

各単元には、すらすらと書けるようになりたいSQLを思いついてもらうための問題文が冒頭に記載されています。まずはこの問題文を読んで、どんなSQLを書けばいいかを考えましょう。

2. 次に「構文チェック」で、そのSQLを構成する基本構文を確認します。

SQLに不慣れな方の場合は、ここでSQLの基本的な構文についての知識を深めましょう。

3.「書き順と考え方」を読みましょう

解答となるSQLを書くときにはどんなことを考えて、どのように書き進めればよいかを確認しましょう。書き順については「本書の肝」ですので、後ほどあらためて詳しく説明します。

4.「内部動作イメージイラスト」を見て、SQL実行時の処理イメージを把握します

SQLは一般的な手続き型の言語と異なり、書かれたSQLに基いてRDBMSが自動的に行うべき手順を内部で考えて勝手に行ってくれます。そのため欲しい結果だけを考えるだけで済み、非常に便利なのですが、一方で挙動がブラックボックスに隠されているとも言えます。どんな処理がされているのか、イメージを把握することで、より的確なSQLが書けるようになります。

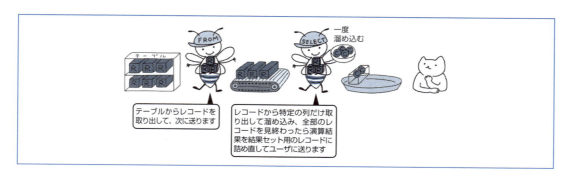

5．最後に「ワンポイントレッスン」を読みます

理解を深めるためのトピックや関連知識について学びましょう。

これで学習パートは終了です。でも、これだけでは本当に実力がついているかどうかわかりません。そこで続くドリルパートにチャレンジしましょう。

● ドリルパート

6．学習パートの解答となるSQLを「書いてみよう」

掲載されている解答SQLを眺めて理解できた気持ちになって終わるのではなく、学習パートでの書き順にしたがって、実際に解答のSQLを手書きしてみましょう。面倒くさいと思うかもしれませんが、ぜひともまずは実際に自分の手で書いてみてください。手書きをすることで理解度も実力も大いに高まることを保証いたします。

7．「練習問題」を解こう

この単元で学んだSQLと同じ構文を用いる設問が、「練習問題」として各単元ごとに5問ずつ用意されています。第1問～第3問は穴埋め式に、第4問・第5問は空欄になっています。書き込む際に一部の問題で紙幅の足りない箇所もありますが、その場合は別途白紙などをご用意ください。

学習パートで学んだ知識を活用して、各設問について解答していきましょう。このときもぜひ、まずは手書きでチャレンジしてみてください。数をこなすにつれて、確かな手応えと自信が高まっていくことと思います。

以上でドリルパートが終了し、ひとつの単元を学び終えたことになります。この構成で全35単元が用意されています。それぞれの単元で基本的なSQLのパターンについて、ひとつずつ確実に習得していきます。全単元を終えたときには、きっとSQLに対する苦手意識はまったくなくなっていることでしょう。

■ 実践編（第5章）

そして「実践編」では全部で10個の応用問題を用意してあります。応用問題と言っていますが、これはつまり実際のシステム開発や運用の現場で求められるようなレベルということです。練習編で蓄積した実力を発揮してチャレンジしてください。各単元ごとにバラバラだった知識が組み合わさっていくようになります。

なお、それぞれの問題に対する解答SQLが本書付属オンラインコンテンツに収録されています。また実際のスクリプトとしても付属オンラインコンテンツに入っています。必要に応じてご参照ください。

しっかり習得してもらうために

「畳上の水練」という言葉があります。畳の上で水泳の練習をするということで、つまりはいくら書物を読んで知識を大量に仕入れても、それを活かすための実地訓練が欠けているので実際の役に立たないという意味です。同様に、いくら教科書やリファレンスマニュアルを膨大に読んで暗記したとしても、実際のマシン上でSQLを書いて実行しなければ実力にはなりません。そこで本書では、実地訓練としてしっかり役に立つようにさまざまな工夫を織り込みました。

■ 工夫のひとつ目は「手書き」

書籍を読むというのは、それだけで知的活動です。活動するのですから当然ながら疲労しますし、読み終えると達成感も得られます。それは良いことなのですが、では読むだけで実際に手が動くようになるのかというと、残念ながらSQLに限らず、そう都合の良い話はありません。そこで本書は、書籍としてはちょっとあり得ないくらい大きな空白を入れることで、手書きを実践してもらえる形式にしました。

「ドリル」の名前のとおり、学生の頃のように手書きでどんどん解答を書き込んでいってもらう。手を使うこ

とで実力と理解度がぐんぐんと伸びるのはさまざまなケースで実例があります。その特性を本書も取り入れました。

　手書きをするのは確かに面倒です。またせっかく買った書籍を汚すのに抵抗がある方もいらっしゃることでしょう。しかし本書はドリルです。実力をつけるためのツールです。ぜひとも自分の手でどんどん書いて、そして実力を高めていってほしいと思っています。

■「実務的」なSQLを書く

　本書は「架空の小さなお店」を想定しています。実際の販売管理と従業員管理に近いイメージでデータベースのテーブルを作っています。またデータもある程度の件数を用意してあります。これらのテーブルやデータは付属オンラインコンテンツの中に入っているデータベース作成用のSQLを実行することで、お手持ちのRDBMS上ですぐにお使いいただけるようになっています。これらによって「教科書で構文は学んだが実務でそれをどう活かしていいのかわからない」というような、初期によくありがちな状態を一気に脱出できます。

■「反復学習」の実践

　量は質に転化する。地道なことをコツコツと繰り返していくうちに、気がつけばとても大きなものになっていたりするものです。学ぶことも然り。反復学習が効果的なのは疑う余地がありません。SQLの学習においてもぜひ反復学習を容易にしたいと考えました。

　そこで反復学習用ソフトウェアSQUAT（スクワット）をご用意しました。もちろん、お手持ちのRDBMS上に先ほどのデータベース作成用のSQLで練習環境を作っていただければ、そちらで反復学習が可能なのですが、RDBMSが手元になかったり導入することが難しいケースでも、SQUATをお手持ちのPC（WindowsまたはMac）にインストールしていただければ、すぐに学習を開始していただけるようになっています。

　手書きの効果は非常に大きい一方で、一度書き込んでしまうと繰り返し使うのが難しいという問題があります。その点、ソフトウェアの場合は何度でも書いて実行できるので、遠慮することなくいくらでも練習を繰り返すことができます。なお、もちろん最初からSQUATを使うことも可能ですが、そこはやはり、まず最初は手書きから始めていただきたいと思います。

　SQUATの使い方についての詳細は、付属オンラインコンテンツの中に入っているPDFをご覧ください。

「書き順」という概念の導入

　本書では、全編にわたってSQLの「書き順」ということについて繰り返し述べています。かつてSQLに関する入門書の冒頭では、「SQLはStructured Query Language（構造化問い合わせ言語）の略です」という説明がありました。現代では、SQLは略語では単なるSQLというひとつの名称ということになっていますが、この「構造化」というのは非常に含蓄のある表現です。

　SQLは順番に手続きを書くものではありません。欲しい結果になるように、構文に沿うようにして各機能のブロックを組み立てて1つのSQL文を作っていくという形になります。このときの、何をどう組み立てるか、というのがSQLの構造になります。この構造の組み立て方を思考の手順として明示するもの、それが書き順なのです。本書の各単元を進めていくと、1つのSQLを単に頭から順番につらつらと書いていくケースは皆無です。1つのSQLを書き上げるために下に飛んだり上に戻ったりを繰り返します。

思いつきでデタラメに書いた字は汚いものです。正しい筆順を知りそれを実践することで、達筆ではないにしても誰でも当たり前に読んでもらえる字を書くことができるようになります。SQLも同じです。SQLの読み手であるRDBMSに対して、書き手の意図がしっかりと伝わるように書くことが大切です。

そして、この書き順を徹底するための重要な手段は「改行の多用」です。本書のサンプルは短いSQLでも細かく改行されています。ですから最初のうちは冗長に感じるかもしれません。しかし学習を進めていくにつれて、改行がもたらす思考への絶大な効果を実感できるようになるでしょう。

どんなときでも書き順を意識してください。そうして量を積み重ねるうちに、現場でどんな複雑な問題に出会っても、何をどう書けばいいのかが頭に閃くようになり、そしてすらすらと手が動くようになるでしょう。

とはいえ、本書の書き順は絶対的な正解ではありません。自分なりに工夫してさらによい方法を編み出すということもぜひ考えてみてください。

■「内部動作イメージイラスト」で理解を深める

先述のとおり、RDBMSはSQLを解釈して自動的に行うべき手順を内部で考えて勝手に実行してくれます。実は、SQLの書き順とはこの内部動作のイメージに沿う形になっています。そこで本書では、本来であればブラックボックスに隠されている内部の実行の様子を想像しやすいイラストにしてみました。このイラストと書き順とを照らし合わせることによって、どういうSQLを書けば良いのかを自分で考える力がつくようになります。

■すべては実務のために

実務でたくさんのSQLを書く必要に迫られたときに、いちいち悩んでいる暇はありません。一方でRDBMSはSQLを解釈して実行しているので、適当に書いてもそれなりに動作はしてくれます。ですが、行き当たりばったりでSQLを書いても意図しない結果ばかりになってしまいかねません。

欲しい結果を得るためのSQLをすらすらと書く。意図を適切にRDBMSに伝えて処理を実行させる。それらを自分で考えて実践できるようになる。あなたにそうなってもらいたい。本書の工夫はすべてそのために用意されています。

 もろもろの補足など

さて、練習編に取り掛かっていただく前に、もう少しだけ補足事項をお伝えしておきます。

本書では取り上げなかった項目

以下の内容については、本書では取り扱っていません。

・トランザクションに関すること
・テーブル作成などデータベーススキーマに関すること

トランザクションについては、入門書やリファレンスマニュアルを見れば使い方自体はすぐに理解できること、またトランザクションと対になって重要な意味を持つロック管理機能がRDBMSごとに大きく差があることから、本書では除外しました。

またテーブル作成などについては、これもまたRDBMSごとにデータ型や細かい定義などで差異が大きいこと、さらにはデータモデリングなどと対にして学ぶべきことが多いことから、本書では除外しました。

これらについては、お使いになるRDBMSごとのドキュメントをご覧になることをお薦めいたします。

対応 RDBMS について

本書ではPostgreSQL、MySQL、Oracle、SQLServerに対して動作確認をしてあります。ローカル環境はWindows／macOSのそれぞれ上のDockerに構築した状態で確認してあります。クラウドプラットフォームは2024年11月時点のAWS、Azure、Google Cloudで確認してあります。詳細は下記表のとおりです。

●動作確認を行った環境

RDBMS名 \ 動作環境	Docker	AWS	Azure	Google	Oracle Cloud
PostgreSQL	17.0 (Debian 17.0-1.pgdg120+1)	16.3	16.4	16.3	
MySQL	9.0.1	8.0.39	8.0.37-azure	8.4.0-google	
Oracle		23.6.0.24.07			19.24.0.0.0
SQLServer	16.0.4140.3 (RTM-CU14-GDR)	16.0.4140.3 (RTM-CU14-GDR)	12.0.2000.8	15.0.4385.2 (RTM-CU28)	

■ SQLを書くツールについて

SQLを書いて実行するためのツールはさまざまなものが存在しますが、本書では次のいずれかの方法で行うことを想定しています。

A) エディタでSQLを書いて、コマンドラインツールで実行する
　①エディタでSQLを書く
　②コマンドラインツール（psqlやSQL*Plusなど）にコピー＆ペーストして実行する
B) GUIツールを使用する

本書付属のSQUATはB）タイプに該当します。psqlなどのエディタ機能のないコマンドラインツールでいきなり本書の書き順のとおりに書こうとすると、自由にSQL文を上下に移動できずに中途半端な記述の状態で実行されてしまいエラーとなってしまいます。くれぐれもご注意ください。

■ 掲載しているSQLについて

SQLには標準が存在しますが、どうしても各RDBMSごとに異なる書き方を行う必要があるケースが存在します。そのような各RDBMSに依存した記法や関数などについては、付属オンラインコンテンツに収録のHTML「SQL書き方ドリルリファレンス」にその旨を記載してあります。

■ 対応RDBMSのアイコンについて

第2章～第5章では各単元に、[PostgreSQL] [MySQL] [Oracle] [SQLServer] のアイコンが付いています。これらは、その単元で取り上げられているSQLが各RDBMSで動作することを表すものです。対応していないRDBMSについては、[MySQL] のようにグレーのアイコンになっています。また、付属オンラインコンテンツの「SQL書き方リファレンス」に関連する説明がある場合は、「HTML参照」という補記が追加されています。ですから [MySQL HTML参照] の場合は「MySQLで動作し、リファレンスに解説がある」ことを示しますし、グレー [MySQL HTML参照] の場合は「MySQLでは対応しておらず、リファレンスに解説がある」ことを示しています。

■ 本書内での「実行結果」の表示について

第2章～第4章でSQLの実行結果が掲載されていますが、これは付録のSQUATで実行した結果となっています。他のツールや環境で実行した場合は、異なる表示になる場合があります。

■ 本書で使用している表記について

第2章～第4章の「構文チェック」で使用されている表記は、次のような内容を示しています。

```
[  ]     省略可能である
A/B      AまたはB
...      繰り返し可能である
(  )     構文で使用される必須のもの
```

■ 消費税や年号について

本書では消費税が5%だったり、データの年号が古かったりします。これらは初刷当時（2005年）のものをそのまま継続して利用しているためです。あらかじめご了承ください。

本書付属コンテンツとソフトウェア

さて、ここまでにもご紹介してきたように、本書ではサポートページで付属コンテンツとソフトウェアを提供しています。いろいろとお得なものが収録されていますので、学習の状況に応じて、ぜひ上手に活用していただければと思います。では、どのようなものが収録されているのかを簡単に紹介しましょう。

付属コンテンツのダウンロード

付属コンテンツはすべて下記からダウンロードしてご利用いただけます。ダウンロードに際しては、295ページの記載を必ずご確認ください。

https://gihyo.jp/book/2025/978-4-297-14673-3/support#supportDownload

●ダウンロード用パスワード
S9LDr1LLC0nTeNTz

ソフトウェア

●反復学習用ソフトウェア SQUAT

本書のドリル問題を収録した反復学習を実現するソフトウェアです。Javaで開発してあり、次の環境で動作します。

Windows11 または macOS Sequoia 上の Java 8（Java Runtime）

詳しくは付属コンテンツとしてダウンロードしていただくPDF（後述）にインストール方法と使い方が記載されていますので、参照してください。

●Java 8（Java Runtime）について

SQUATの実行にはJava 8（Java Runtime）と呼ばれるJava実行環境が必要です。SQUATのインストール前に、あらかじめJava 8（Java Runtime。JREとも呼ばれます）を配付先（https://www.java.com/ja/download/）からダウンロードしてインストールしておく必要があります（無償で利用できます）。詳しくはダウンロード提供のPDF（後述）の解説を参照してください。

HTML

●SQL書き方ドリルリファレンス

本書に記載の内容で、各RDBMS固有のSQL表記、関数などが必要な個所について、リファレンスとしてHTMLファイルに記載したものです。PostgreSQL、MySQL、Oracle、SQL Serverの各RDBMSごとに注意点やSQLの例が記載されています。

SQLスクリプト

●サンプルテーブル作成用SQLスクリプト

　PostgreSQL/MySQL/Oracle/SQL Serverの各RDBMSで本書のサンプルテーブルを作成するためのSQLスクリプトを収録しています。テーブル作成用SQLと初期データ挿入用SQLが用意されています。

●解答SQLスクリプト

　PostgreSQL/MySQL/Oracle/SQL Serverの各RDBMS用に本書ドリル部分の解答を収録したSQLスクリプトです。

ドキュメントPDF

●ガイド編「学習用データベースの構成とSQUATの導入方法・使い方」

　本書で使用している学習用データベースは、架空の小さなお店の販売管理と従業員管理をイメージして作成したものです。この学習用データベースのテーブル構成（ER図）とデータの内容を示した表を掲載しています。

●解答編「第2章〜第4章「練習問題」、第5章「応用問題」の解答」

　本書第2章〜第4章の「練習問題」、第5章の「応用問題」の解答を収録したPDFです。

さあ、はじめよう！

　これで準備編は完了、いよいよ練習編に突入です。上司からのお題をどんどんクリアして、SQLの達人への道を進んでいきましょう！　では練習編にレッツゴー！

練習編

第2章

ひとつのテーブルを扱う

その1 データを取り出す

`PostgreSQL` `MySQL` `Oracle` `SQL Server`

練習編

問題

顧客一覧を出してくれ

ある日、あなたは上司に頼まれました。

「今、うちの会社がお付き合いしている顧客の名前を一覧で全部出してくれ」

データベースの中には顧客テーブルがあります。顧客テーブルの名前は Customers です。顧客テーブルの中には CustomerName という名前の列があります。さて、どのようにすればよいでしょうか。

ポイント SELECT文を使います

SELECT文とは、テーブルの中にあるレコードを選び取るためのSQL文です。

解答
```
SELECT
    CustomerName
FROM
    Customers
;
```

🐾 構文チェック 🐾 データを取り出す

まずはデータを取り出すSQL構文を確認しましょう。

```
SELECT
    列名
FROM
    テーブル名
```

のようになります。

書き順と考え方

まず、テーブルからレコードを取り出す作業をしますよ、という宣言をします。この宣言として、SELECT と書きます。SELECT の次に書くのは ; です。だらだらと考えるのではなく、SELECT 文の開始と終了を明確にするという理由からです。

```
SELECT
;
```

次に、どのテーブルから取り出すかを指定します。「〜から」ということで、FROM 句を使います。取り出そうとしているものより先に FROM 句を書くのは、取り出す大元が間違っていると、いくら詳細（列名など）が正しく指定されてもきちんと動作しないからです。

```
SELECT
FROM
    テーブル名
;
```

最後に、何を取り出すのかを指定します。

```
SELECT
    列名
FROM
    テーブル名
;
```

SQL は改行を認識しないので、どこで改行するかは自由ですが、記述する単位ごとに区切って区別をわかりやすくするため、本書では上記のように列名、FROM 句などをそれぞれで改行した形で記載します。これはデータベース内部の動作を意識しながら SQL を書くためです。

実際の SQL の書き順は、次のようになります。

```
❶ SELECT
   ;

❷ SELECT
   FROM
       Customers
   ;

❸ SELECT
       CustomerName
   FROM
       Customers
   ;
```

次ページの絵は、DBMS 内の操作のイメージを表したものです。絵の中で、「FROM」「SELECT」などと書かれた帽子をかぶっているミツバチが、さまざまな役割を果たしている SQL です。「R」はレコード (Record)、「C」はカラム (Column) を指しています。各節ごとにこの絵が出てきますので、ミツバチの動きに注目しながらご覧ください。

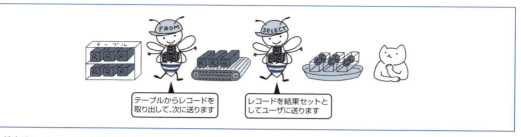

まず実際にレコードが格納されているテーブルから、メモリ上にレコードが取り出されます（ベルトコンベアの部分）。この役割を指定しているのがFROM句の箇所です。次にそのレコードからある特定の列だけを取り出してユーザに結果セットとして提供します。

実行結果

第1章でインストールしたSQUATで例題のSQLを入力、「SQLの実行と判定」をクリックすると、「入力したSQLの実行結果」画面に次のような実行結果が表示されるはずです（ただしその際、問題によっては実行結果の出力順序が本書掲載のものとは異なる場合があります。これはSQLでは実行結果の順序が規定されていないためです。また、本書が対応しているPostgreSQL、MySQL、Oracle、SQL Serverで学習用サンプルデータベースを作成の上、SQLを実行させることも可能です。その際も、実行結果は本書掲載のものと異なる場合があります）。

CustomerName
タマ
ハナ
ミケ
キク
ウメ
トラネコ商会
クロ
トラ

データベース（RDBMS）を使っていると、いろいろな用語が出てきます。本書では以下の用語は、同じものを示しています。

テーブル	と	表
レコード	と	行
カラム	と	列

また、本書では見やすさのために大文字・小文字を組み合わせていますが、SQL自体はこの区別をしません。ですから、全部大文字（または小文字）で記述しても結果は変わりません。

ドリルでマスター

書いてみよう

　前述の書き順に沿って、顧客一覧を表示するSQLを書いてみてください。本書では、基礎の反復による鍛錬によって、書き順を身につけていただくため、ドリル形式を採用しています。ぜひ、あなたも実際に書き、さらに直接パソコン上で入力して身体で覚えてください。

練習問題

　「練習問題」では、毎回5問、その節で取り上げたSQLを習得するための問題を出題します。出題形式は各回とも、穴埋め式から始まり、だんだん自分で記入する欄が増え、最後の2問はすべて自分で書くようになっています。
　ぜひ解答欄に自分で書くか、パソコンに入力してみてください。答えはすぐにおわかりになるでしょうし、あまりにも簡単すぎると感じるかもしれませんが、ここで大切なのは、「書き順」です。これまで、違う順序でSQLを書いていた方も、ぜひ今日から、この順番で書いてみてください。簡単なレベルのものを基礎としてしっかりと身につけておくことが応用をこなすための大切な力となります。
　各問とも、□□□□□は文字列や数値などの値の記入欄、□□□□□□□は「SELECT」や「FROM」などの予約語、「+」や「｜」などの演算子、または「;」（セミコロン）などが1語入ります。

　問題「顧客一覧を出してくれ」では、顧客テーブルCustomersの中にCustomerNameという名前の列がありました。では、異なるテーブル内で別の列を取り出す場合はどうなるでしょうか。解答はダウンロード提供の付属PDFに収録の解答編（sql-kaito.pdf）A-01ページを参照してください。

第1問 テーブルCustomersのAddress列を取り出しなさい。

```
SELECT
  _____
FROM
  _____
  _____
```

第2問 テーブルProductsのProductName列を取り出しなさい。

SELECT

第3問 テーブルProductsのPrice列を取り出しなさい。

第4問 テーブルEmployeesのEmployeeName列を取り出しなさい。

第5問 テーブルEmployeesのEmail列を取り出しなさい。

その2 複数の列を指定する

PostgreSQL　MySQL　Oracle　SQL Server

問題：商品ごとの単価を出してくれ

ある日、あなたは上司に頼まれました。

「今、うちの会社が扱っている商品の名前と単価を一覧で全部出してくれ」

データベースの中には商品テーブルがあります。商品テーブルの名前はProductsです。商品テーブルの中に、商品名はProductNameという列が、単価はPriceという列があります。さて、どのようにすればいいでしょうか。

ポイント：複数アイテムの間はカンマ（,）で区切ります

SELECT文は、テーブルから取り出す列を指定することができます。これを選択リストと呼びます。具体的には、「SELECT 〜 FROM …」の「〜」の部分を選択リストと呼びます。選択リストは「リスト」という名前のとおり、複数のアイテムを指定することができます。アイテムというのは、列名だったり直接値を書く定数だったりします。アイテムの間はカンマ（,）で区切ります。

解答

```
SELECT
  ProductName
, Price
FROM
  Products
;
```

構文チェック：複数の列を指定

では、複数の列を指定するSQL構文をチェックしておきましょう。

```
SELECT
   列名
,  列名
FROM
   テーブル名
```

のようになります。

第2章 ひとつのテーブルを扱う　その2　複数の列を指定する

書き順と考え方

まず、テーブルからレコードを取り出す作業をしますよ、という宣言をします。

```
SELECT
;
```

どのテーブルから取り出すのかをFROM句で指定します。

```
SELECT
FROM
    テーブル名
;
```

最後に何を取り出すのかを指定します。複数の列名を指定する場合は、列名と列名の間をカンマで区切っていきます。列名を続けて書く人が多いと思いますが、次のようにカンマを頭に書くと、あとで列名の追加や削除をするときに便利です。

```
SELECT
    列名
   ,列名
FROM
    テーブル名
;
```

商品ごとの単価を出すSQLの場合は、

```
❶ SELECT
   ;
❷ SELECT
   FROM
       Products
   ;
❸ SELECT
       ProductName
      ,Price
   FROM
       Products
   ;
```

となります。

このとき、SQLは右ページの図のような動作をします。

まず、テーブルに格納されているレコードを取り出します。そして取り出したレコードの中から必要な列の値を抜き出して、結果セットとして送り出します。

実行結果

実行結果は次のようになるはずです。

ProductName	Price
まぐろ	500
金魚	35
ぶり	350
あじ	200
あなご	150
ねずみ肉	120
とり肉	200
豚肉	200

ワンポイントレッスン

列名の指定はもちろん、2つまでというわけではありません。次のように、カンマで区切っていくつでも指定することができます（以下では改行していませんが、意味は同じです）。

```
SELECT 列1, 列2, 列3 … FROM テーブル名;
```

また、テーブルのすべての列を指定するときは、「*（アスタリスク）」を使うことができます。
指定する列名の順序も自由です。ですから

```
SELECT Price, ProductName FROM Products;
```

のように入れ替えてもまったく問題ありません。さらに、次のように同じ列を何度も指定してやることも可能です。

```
SELECT ProductName, ProductName FROM Products;
```

同じ列を何度も指定して何ができるのかは、その3で解説します。

ドリルでマスター

書いてみよう

前述の書き順に沿って、商品ごとの単価を出すSQLを書いてみてください。

```
_____
_____
_____
_____
_____
```

練習問題

ほかのテーブルから、いろいろな列を取り出してみてください。解答はA-01ページを参照してください。

第1問 テーブルCustomersのCustomerName列、Address列を取り出しなさい。

```
SELECT
    [            ]
  , [            ]
FROM
    [            ]
;
```

第2問 テーブルProductsのProductID列、ProductName列、Price列を取り出しなさい。

```
SELECT
    [            ]
  , [            ]
  , [            ]
    [ - - - - - ]
    [            ]
;
```

第3問 テーブルEmployeesのEmployeeName列、Email列、Height列を取り出しなさい。

```
┌──────────┐
│  SELECT  │
└──────────┘
    ┌────────────────────────────┐
    │                            │
    └────────────────────────────┘
    ┌────────────────┐
  , │                │
    └────────────────┘
    ┌────────────────┐
  , │                │
    └────────────────┘
┌──────────┐
│   FROM   │
└──────────┘
    ┌────────────────────┐
    │                    │
    └────────────────────┘
;
```

第4問 テーブルCustomersのCustomerCode列、CustomerName列、CustomerCode列を取り出しなさい。

第5問 テーブルProductsのProductCode列、Price列、ProductName列、ProductCode列を取り出しなさい。

その3 列に別名をつける

PostgreSQL HTML参照　MySQL HTML参照　Oracle HTML参照　SQL Server HTML参照

練習編

問題 項目の名前がわからない

ある日、あなたは上司に頼まれました。

「この前の商品名と単価の一覧だけど、項目名がわかりづらい。わかりやすいものにしてもう一度出してくれ」

ProductNameやPriceという列名がわかりづらいとのことです。さて、どのようにすればいいでしょうか。

ポイント AS句を使って別名を設定します

別名とは、列名がわかりづらかったり選択リストに同じ列を複数書いたりする場合に、その意味を明確にするために指定するものです。必須ではありませんが、実務では頻繁に使うことになります。RDBMSの種類によってはAS句を使えないために、間に空白を置くだけで別名として扱うものもあります。詳しくはダウンロード提供の付属PDFの「SQL書き方ドリルリファレンス」を参照してください。

解答
```
SELECT
    ProductName AS 商品名
,   Price AS 単価
FROM
    Products
;
```

構文チェック　列に別名をつける

まずは列に別名をつけるSQL構文を確認しましょう。

```
SELECT
    列名 AS 別名
FROM
    テーブル名
```

のようになります。

書き順と考え方

まず、例によって「SELECT」と「;」を書きます。

```
SELECT
;
```

次に、どのテーブルから取り出すのかをFROM句で指定します。

```
SELECT
FROM
    テーブル名
;
```

列名を指定する前に、別名を指定します。

```
SELECT
        AS  別名
,       AS  別名
FROM
    テーブル名
;
```

最後に、それぞれの別名に対して取り出してくる列名をつけます。

```
SELECT
   列名  AS  別名
,  列名  AS  別名
FROM
    テーブル名
;
```

ということで、項目に別名をつけるSQL文の書き順は、以下のようになります。

❶ SELECT
   ;

❷ SELECT
   FROM
      Products
   ;

❸ SELECT
         AS 商品名
   ,   AS 単価
   FROM
      Products
   ;

❹ SELECT

```
      ProductName AS 商品名
    , Price AS 単価
 FROM
    Products
 ;
```

このとき、SQLは下の図のような動作をします。

処理の流れは前節（その2）と同じです。結果セットに詰める際にそれぞれの列名に、別名が貼り付けられます。

実行結果

実行結果は次のようになるはずです。

商品名	単価
まぐろ	500
金魚	35
ぶり	350
あじ	200
あなご	150
ねずみ肉	120
とり肉	200
豚肉	300

ワンポイントレッスン

同じ列名を指定したときに、以下のようにそれぞれに違う別名をつけることで区別することができます。それによって、同じ列の同じ値を別の用途に利用することができます。

```
 SELECT
    ProductName AS 商品名
  , ProductName AS 名称
 FROM
    Products
 ;
```

ドリルでマスター

書いてみよう

前述の書き順に沿って、項目に別名をつける SQL 文を書いてみてください。

練習問題

いろいろなパターンで、列に別名をつける SQL を書いてみましょう。解答は A-02 ページを参照してください。

第1問 テーブル Employees の EmployeeName を「社員名」という別名で取り出しなさい。

```
SELECT
    [          ] AS [     ]
FROM
    [          ]
;
```

第2問 テーブル Customers の CustomerCode を「顧客コード」、CustomerName を「顧客名」という別名で取り出しなさい。

```
SELECT
    [          ] [   ] [       ]
,   [          ] [   ] [       ]
FROM
    [          ]
;
```

第3問 テーブル Products の ProductCode を「商品コード」、ProductName を「商品名」、Price を「価格」という別名で取り出しなさい。

[   ]

第4問 テーブルCustomersのCustomerNameを「顧客名」、「得意先名」という別名で取り出しなさい。

第5問 テーブルEmployeesのEmployeeNameを「社員名」、Emailを「メールアドレス」、「連絡先」という別名で取り出しなさい。

その4 列の値に対して演算を行う

PostgreSQL　MySQL　Oracle　SQL Server

問題

税込価格で一覧を出してくれ

ある日、あなたは上司に頼まれました。

「この前の商品名と単価の一覧だけど、消費税が含まれてない。単価に消費税を足してもう一度出してくれ」

消費税のデータがどこにあるかわからないのですが、Price列の値に5%を加えれば今回は大丈夫のようです。さて、どのようにすればいいでしょうか。

ポイント　値の演算を行います

値の演算とは、テーブルから取り出した値をそのまま使うのではなく、加工をすることです。

解答

```
SELECT
    ProductName AS 商品名
, Price * 1.05 AS 税込価格
FROM
    Products
;
```

構文チェック　列の値に対して演算を行う

まずは列の値に対して演算を行うSQL構文を確認しましょう。

```
SELECT
    列名 演算子 値
FROM
    テーブル名
```

のようになります。

書き順と考え方

まず、「SELECT」と「;」を書きます。

```
SELECT
;
```

どのテーブルから取り出すのかをFROM句で指定します。

```
SELECT
FROM
    テーブル名
;
```

列名を指定する前に別名を指定します。

```
SELECT
       AS 別名
,      AS 別名
FROM
    テーブル名
;
```

最後に、それぞれの別名に対して、取り出してくる列名をつけます。このときに、演算も指定します。

```
SELECT
    列名 AS 別名
,   列名 演算子 値 AS 別名
FROM
    テーブル名
;
```

ということで、税込価格で一覧を出すSQL文の書き順は、以下のようになります。

❶ ```
SELECT
;
```

❷ ```
SELECT
FROM
    Products
;
```

❸ ```
SELECT
       AS 商品名
,   AS 税込価格
FROM
    Products
;
```

❹ SELECT
```

```
    ProductName AS 商品名
  , Price * 1.05 AS 税込価格
FROM
    Products
;
```

このとき、SQLは下の図のような動作をします。

処理の流れはその3と同じです。結果セットに詰める際にそれぞれの列ごとに演算が行われます。

実行結果

実行結果は次のようになるはずです。

商品名	税込価格
まぐろ	525.00
金魚	36.75
ぶり	367.50
あじ	210.00
あなご	157.50
ねずみ肉	126.00
とり肉	210.00
豚肉	215.00

ワンポイントレッスン

別名は必須ではありませんので、今回の問題では次のSQL文も正解です。ただし、どういう意図を表現したいのか明確にするためにも、別名をつけることを強くお薦めします。なお、別名にSQLの予約語（演算子など）を含む場合は、別名をダブルクォーテーション（"）ではさんでください（別名の例："給与の15%"）。

```
SELECT
    ProductName
  , Price * 1.05
FROM
    Products
;
```

●演算子

主な演算子には、次のようなものがあります。他にもいろいろとありますので、お使いのRDBMSのドキュメントを見て確認してください。

演算子	意味	演算の例	演算例の結果
+	和	2 + 3	5
-	差	2 - 3	-1
*	積	2 * 3	6
/	商（整数では切り捨てされます）	4 / 2	2
		4 / 3	1
%	商の余り	5 % 2	1
^	乗	2 ^ 3	8

※「%」は Oracle では使用できません。「^」は MySQL、SQL Server では累乗ではなく、「XOR」演算子の意味となります。また Oracle では「^」は使用できません。詳しくは各 RDBMS のマニュアルを参照してください。

ドリルでマスター

書いてみよう

前述の書き順に沿って、税込価格で一覧を出すSQL文を書いてみてください（消費税は5％とします）。

練習問題

いろいろなパターンで、値の演算を行うSQL文を書いてみましょう。解答はA-02ページを参照してください。

第1問 テーブルSalaryで、Amountの15%を求め、「給与の15％」（％は全角にすること）という別名で取り出しなさい。

```
SELECT
    [      ] * [      ] AS [      ]
FROM
    [      ]
;
```

第2問 テーブルEmployeesで、Heightの半分を求めなさい。別名は「身長の半分」とする。

```
SELECT
    [      ] [  ] [  ] [      ]
FROM
```

```
[              ]
;
```

第3問 テーブルEmployeesで、Weightの3倍から50を引いたものを求めなさい。別名は「体重の3倍引く50」とする。

```
[              ]
[        ] [     ] [     ] [     ] [     ]
                     [     ] [                    ]
[        ]
[              ]
;
```

第4問 テーブルProductsで、Priceに100を加え、その30％を求めなさい。別名は「（価格＋100）の30％」（カッコや＋や％は全角）とする。

第5問 テーブルSalesで、Quantityに200を加え、3で割ったものを求めなさい。別名は「（数量＋200）÷3」（カッコや＋や÷は全角）とする。

その5 列同士で演算を行う

PostgreSQL　MySQL　Oracle　SQL Server

問題

社員の健康状態を一覧で出してくれ

ある日、あなたは上司に頼まれました。

「社員の肥満度が気になる。BMIで計算して一覧を出してくれ。名前は出さなくても構わない」

BMI（Body Mass Index）というのは、国際的によく使われている計算法らしく「体重（kg）÷ 身長（m）の2乗」という式になるのだそうで、答えが22になるのが標準だそうです。

社員テーブルの名前はEmployeesです。Employeesの中には最新の身長と体重があります。列名はそれぞれWeightとHeightです。Heightの値はcmの数字が入っています。さて、どのようにすればいいでしょうか。

ポイント　列同士の値の演算を行います

解答
```
SELECT
    Weight / (Height / 100) / (Height / 100) AS BMI
FROM
    Employees
;
```

🐾 構文チェック 🐾　列同士で演算を行う

まずは列同士で演算を行うSQL構文を確認しましょう。

```
SELECT
    列名 演算子 列名
FROM
    テーブル名
```

のようになります。

書き順と考え方

まず、「SELECT」と「;」を書きます。

```
SELECT
;
```

次にどのテーブルから取り出すのかをFROM句で指定します。

```
SELECT
FROM
   テーブル名
;
```

列名を指定する前に、別名を指定します。

```
SELECT
       AS 別名
FROM
   テーブル名
;
```

最後にそれぞれの別名に対して、取り出してくる列名をつけます。このときに、演算も指定します。

```
SELECT
   列名 演算子 列名 AS 別名
FROM
   テーブル名
;
```

ということで、BMIの計算をするSQL文の書き順は、以下のようになります。

❶
```
SELECT
 ;
```

❷
```
SELECT
FROM
   Employees
;
```

❸
```
SELECT
       AS BMI
FROM
   Employees
;
```

❹
```
SELECT
   Weight / (Height / 100) / (Height / 100) AS BMI
FROM
   Employees
;
```

このとき、SQLは下の図のような動作をします。

処理の流れは前節のその4とまったく同じです。

実行結果

実行結果は次のようになるはずです。

```
BMI
25.5102040816326530612244897142857142857142857
23.147255121330195594305775217391304347826086956521740
21.64412070759625390218522374193548387096774193548387
18.02595737862522203172568498734177215189873417721519
24.22145328719723183339100345882352941176470588235294
25.39343112031808613719135289017341040046242774566474
19.05197378448407254991617129629629629629629629629
```

ワンポイントレッスン

列名同士の演算であっても別名は必須ではありません。しかし、その4と同様、別名をつけることを強くお薦めします。
なお、今回の例は、

```
SELECT
   Weight / ((Height / 100) ^ 2) AS BMI
FROM
   Employees
;
```

としても正解です。「^」が使えないRDBMSもあります。列同士の演算であることと、同じ列が複数回現れるのを見ていただくために少し回りくどい書き方をしています。

また、複雑な式の場合は、ぱっと見て結果を想像しにくくなってしまいます。そのため、カッコを使って計算順序を明確にしてやることができます。たとえば、次の2つのSQLは結果が異なります。これはカッコの位置によって計算順序が変わるからです。

```
SELECT
   (Weight / (Height / 100)) / (Height / 100) AS BMI
FROM
   Employees
;
```

なお、SQUATを実行モードにしてエディタに実行したいSQLを書き、▷をクリックすると、SQLを実行し、結果を「入力したSQLの実行結果」に表示させることができます（実行結果の判定は行われません）。詳しくは

ダウンロード提供の付属PDFには収録のガイド編（sql_db_and_squat.pdf）のG-05ページをご覧ください。以降、ワンポイントレッスンの実行結果はSQUATの実行モードで動作させたものです。

```
BMI
25.5102040816326530612244898214285714285714285 7142857
23.1472551213301955943057752173913043478260869565 2174
21.6441207075962539021852237419354838709677419354 8387
18.0259573786252220317256849873417721518987341772 1519
24.2214532871972318339100345882352941176470588235 2941
25.3934311203180861371913528901734104046242774566 474
19.0519737844840725499161712962962962962962962 963
17.9418172497572728437780339862981045751633986928 105
```

```
SELECT
  Weight / ((Height / 100) / (Height / 100)) AS BMI
FROM
  Employees
;
```

```
BMI
72
60
52
45
70
76
50
42
```

カッコの中にさらにカッコを入れることを「入れ子」または「ネスト」と呼んだりします。

ドリルでマスター

書いてみよう

前述の書き順に沿って、BMIの計算をするSQLを書いてみてください。

練習問題

いろいろなパターンで、列同士の演算を行うSQL文を書いてみましょう。解答はA-02ページを参照してください。また、演算結果はそれぞれ、「結果」という別名をつけて表示してください。なお、この節の問題は内容的な意味はとくにありません。

第1問 テーブルEmployeesで、Heightの3倍からWeightの2.5倍を引いたものを求めなさい。別名は結果とします。

SELECT ☐ * ☐ - ☐ * ☐ AS ☐
FROM
☐
;

第2問 テーブルEmployeesで、HireFiscalYearをWeightで割ってHeightに加えたものを求めなさい。別名は結果とします。

SELECT
☐ ☐ ☐
☐ ☐ ☐ ☐
FROM
☐
;

第3問 テーブルSalesで、QuantityにCustomerID、ProductID、EmployeeIDの積を加えたものを求めなさい。別名は結果とします。

☐
☐ ☐ ☐ ☐ ☐
☐ ☐ ☐
☐
☐
;

第4問 テーブルProductsで、PriceからProductCode、CategoryIDの積を引いたものを求めなさい。別名は結果とします。

第5問 テーブルCustomersで、CustomerIDにCustomerClassIDの3乗を加えたものを求めなさい。別名は結果とします。

その6 文字列の連結を行う

PostgreSQL HTML参照　MySQL HTML参照　Oracle HTML参照　SQL Server HTML参照

練習編

問題 名札を作ってくれ

ある日、あなたは上司に頼まれました。

「今度のイベント用に、お客様の名札を作ってくれ。ちゃんと『様』を付けてくれよ」

顧客テーブルの名前はCustomersです。顧客テーブルの中に名前はCustomerNameという列があります。しかしCustomerNameの値には『様』が入っていません。さて、どのようにすればいいでしょうか。

ポイント 列の中に入っている値に文字列を連結します

解答
```
SELECT
    CustomerName || '様' AS お名前
FROM
    Customers
;
```

🐾 構文チェック 🐾 文字列の連結を行う

まずは文字列の連結を行うSQL構文を確認しましょう。

```
SELECT
    列名 || 列名または文字列
FROM
    テーブル名
```

のようになります。なお、SQLServerの場合、‖は使用できません。代わりに + を使用します。MySQLの場合は、ANSIモードであれば、‖が使用可能です。ANSIモードでなければCONCAT( )関数を使用します。詳しくははダウンロード提供の付属PDFのSQL書き方リファレンスを参照してください。

書き順と考え方

まず、「SELECT」と「;」を書きます。

```
SELECT
;
```

次にどのテーブルから取り出すのかをFROM句で指定します。

```
SELECT
FROM
  テーブル名
;
```

列名を指定する前に、別名を指定します。

```
SELECT
      AS 別名
FROM
  テーブル名
;
```

最後にそれぞれの別名に対して、取り出してくる列名をつけます。このときに、文字列連結のための‖演算子も指定します。

```
SELECT
  列名  ||  演算子 列名または文字列  AS  別名
FROM
  テーブル名
;
```

「様」を連結するSQLの場合は、以下のような書き順になります。

❶
```
SELECT
;
```

❷
```
SELECT
FROM
  Customers
;
```

❸
```
SELECT
      AS お名前
FROM
  Customers;
;
```

❹
```
SELECT
  CustomerName || '様' AS お名前
FROM
```

```
    Customers
;
```

となります。

このとき、SQLは下の図のような動作をします。

テーブルからレコードを取り出して、次に送ります

レコードから特定の列だけ取り出して連結を行い、結果セット用のレコードに詰め直してユーザに送ります

実行結果

実行結果は次のようになるはずです。

```
お名前
タマ様
ハナ様
ミケ様
キク様
ウメ様
トラネコ商会様
クロ様
トラ様
```

ワンポイントレッスン

何度もくどいようですが、やはり別名をつけることを強くお薦めします。
また、複数の列名を組み合わせて文字列連結を行うこともできます。たとえば次のようになります。

```
SELECT
   Address || 'にお住まいの' || CustomerName || '様' AS ご案内
FROM
   Customers
;
```

ドリルでマスター

書いてみよう

前述の書き順に沿って、「様」の文字を連結するSQL文を書いてみてください。

練習問題

いろいろなパターンで、文字列の連結を行うSQL文を書いてみましょう。解答はA-03ページを参照してください。

第1問 テーブルEmployeesのEmployeeNameの後に'さん'を連結して「社員名」という別名をつけなさい。

```
SELECT
    [              ]    ||    [       ]    AS    [       ]
FROM
    [              ]
;
```

第2問 テーブルEmployeesのEmailの前に「'E-MAIL:'」を連結して、「メールアドレス」という別名をつけなさい。

```
SELECT
    [              ]  [   ]  [       ]
                              [   ]  [         ]
FROM
    [              ]
;
```

第3問 テーブルEmployeesのEmployeeNameの後に「'さんの'」を連結、Emailの前に「'E-MAIL:'」を連結してその2つをさらに連結、「連絡先」という別名をつけなさい。

```
    [       ]
    [              ]  [   ]  [       ]
       [       ]  [   ]  [       ]  [   ]  [       ]
    [       ]
    [       ]
;
```

第4問 テーブルCustomersのCustomerName、Addressを用いて「○○様のお住まいは△△」を組み立て、「お得意様連絡先」と別名をつけなさい。

第5問 テーブルEmployeesのEmployeeName、BloodTypeを用いて「社員○○さんの血液型は△△型」を組み立て「社員血液型」と別名をつけなさい。

その7 集合関数を使う

`PostgreSQL` `MySQL` `Oracle` `SQL Server`

問題

平均を教えてくれ

ある日、あなたは上司に頼まれました。

「うちの商品って、平均単価いくらくらいなの？ちょっと教えて」

商品テーブルの名前はProductsです。商品テーブルの中に商品名はProductNameという列が、単価はPriceという列があります。さて、どのようにすればいいでしょうか。

ポイント

集合関数とは、複数のレコードの値をとりまとめて1つの結果を得るためのものです。同じ列上の値の集まりから、一番大きな値を取り出したり平均を取ったり、合計を求めたりする場合に使います。個数（COUNT）・平均（AVG）・総和（SUM）・最大（MAX）・最小（MIN）などがあります。

解答

```
SELECT
    AVG(Price) AS 平均単価
FROM
    Products
;
```

構文チェック　集合関数の利用

まずは集合関数を使うSQL構文を確認しましょう。

```
SELECT
    関数名(列名または演算式) AS 別名
FROM
    テーブル名
```

のようになります。

書き順と考え方

まず、「SELECT」と「;」を書きます。

```
SELECT
;
```

どのテーブルから取り出すのかをFROM句で指定します。

```
SELECT
FROM
    テーブル名
;
```

列名を指定する前に、別名を指定します。

```
SELECT
        AS 別名
FROM
    テーブル名
;
```

次に、使用する関数を書きます。

```
SELECT
    関数名( ) AS 別名
FROM
    テーブル名
;
```

最後に、関数に対する引数を書きます。引数とは、関数に渡される、計算の実行時に使う値や計算方法の詳細などを決める値のことです。

```
SELECT
    関数名(列名) AS 別名
FROM
    テーブル名
;
```

平均単価を出すSQL文の場合は、以下のような書き順になります。

❶
```
SELECT
;
```

❷
```
SELECT
FROM
    Products
;
```

❸ SELECT

```
      AS 平均単価
  FROM
    Products
  ;
❹ SELECT
    AVG(   ) AS 平均単価
  FROM
    Products
  ;
❺ SELECT
    AVG( Price ) AS 平均単価
  FROM
    Products
  ;
```

このとき、SQLは下の図のような動作をします。

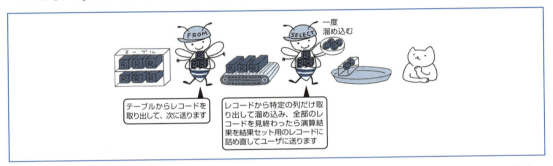

テーブルから取り出されたレコードから特定の列の値を全部溜め込みます。そして最後にその平均を算出して、結果セットに詰めて送り出します。

実行結果

実行結果は次のようになるはずです。

平均単価
490.66

ワンポイントレッスン

当然ながら文字列の合計などは取ることができませんので、指定できる列名は数値データのみが入っている列でなければなりません。また、単純な列名だけでなく次のように演算式を使うこともできます。

```
SELECT
  AVG(
    Weight / (Height / 100) / (Height / 100)
  ) AS BMIの平均
FROM
  Employees
;
```

ドリルでマスター

■ 書いてみよう

前述の書き順に沿って、平均単価を出すSQLを書いてみてください。

■ 練習問題

いろいろなパターンで、集合関数を使うSQL文を書いてみましょう。解答はA-03ページを参照してください。
それぞれ個数（COUNT）、平均（AVG）、総和（SUM）、最大（MAX）、最小（MIN）のいずれかの集合関数を使用します。なお、関数は「関数名(引数)」で1マス使用することとします。

第1問 テーブルCustomersの顧客数を求めて、「お得意様数」と別名をつけなさい。

```
SELECT
       [            ] AS [        ]
FROM
       [       ]
;
```

第2問 テーブルEmployeesのWeight合計を求め、「社員体重合計」と別名をつけなさい。

```
SELECT
       [            ] AS [        ]
FROM
       [       ]
;
```

第3問 テーブルProductsのPriceの最大値を求め、「最高額価格」と別名をつけなさい。

第4問 テーブルEmployeesのWeightの最小値を求め、「最軽量体重」と別名をつけなさい。

第5問 テーブルEmployeesのHeight、Weightの平均値を求め、「平均身長」,「平均体重」と別名をつけなさい。

その8 ある条件でレコードを絞り込む(1)

PostgreSQL | MySQL | Oracle | SQL Server

練習編

問題 身長が大きな人を教えてくれ

ある日、あなたは上司に頼まれました。

「うちの会社でバスケットボールのチームを作ろうと思う。ついては、背の高い人をピックアップしてくれ」

社員テーブルの名前はEmployeesです。社員テーブルの中にはEmployeeName（氏名）とHeight（身長）という列があります。上司の言う「背の高い」は180cm以上のことのようです。さて、どのようにすればいいでしょうか。

ポイント WHERE句を使います

WHERE句とは、ある条件に基づいて複数のレコードの中から条件に合致する特定のレコードだけを取り出すためのものです。実務では頻繁に使われます。

解答

```
SELECT
    EmployeeName AS 氏名
FROM
    Employees
WHERE
    Height >= 180
;
```

構文チェック WHERE句でデータを絞り込む

まずは、WHERE句でデータを絞り込むSQL構文を確認しましょう。

```
SELECT
    選択リスト
FROM
    テーブル名
WHERE
    条件
```

のようになります。

書き順と考え方

まず、「SELECT」と「;」を書きます。

```
SELECT
;
```

どのテーブルから取り出すのかをFROM句で指定します。

```
SELECT
FROM
    テーブル名
;
```

次に、「WHERE」と書きます。

```
SELECT
FROM
    テーブル名
WHERE
;
```

そして、レコードを特定するための条件を書きます。

```
SELECT
FROM
    テーブル名
WHERE
    条件
;
```

最後に、選択リストを書きます。

```
SELECT
    列名
FROM
    テーブル名
WHERE
    条件
;
```

身長180cm以上の人をピックアップするSQL文の書き順は、以下のようになります。

❶ SELECT
   ;

❷ SELECT
   FROM
       Employees
   ;

❸
```
SELECT
FROM
    Employees
WHERE
;
```

❹
```
SELECT
FROM
    Employees
WHERE
    Height >= 180
;
```

❺
```
SELECT
    EmployeeName AS 氏名
FROM
    Employees
WHERE
    Height >= 180
;
```

このとき、SQLは下の図のような動作をします。

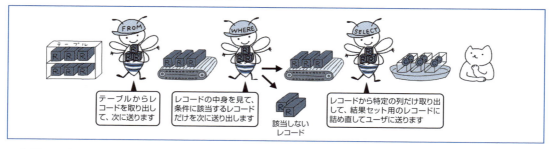

まずテーブルからレコードを取り出します。次にそのレコードが抽出条件に該当するかどうかを判定します。該当すれば次のステップに進み、該当しなければ破棄されます。抽出条件に該当したレコードの中から必要な列の値を抜き出して、結果セットとして送り出します。

実行結果

実行結果は次のようになるはずです。

氏名
ごま
ぱんだ
くま

ワンポイントレッスン

初心者の方がWHERE句を書く際によく混乱するのは、「列を選ぶ」ということと「レコードを選ぶ」ということを一緒に考えてしまうためです。SELECTで取り出す列を選択リストとして取り出すための指定を考えながら、併せて抽出条件も考えようとして混乱してしまうのです。まず、テーブルからどこのレコードを抜き出すのかを先に考えましょう（抽出条件の指定：「レコードを選ぶ」）。それからそれぞれのレコードの中にある列を取り出せば良いのです（選択リストの指定：「列を選ぶ」）。

●比較演算子

条件を設定する際に利用できる代表的な比較演算子は次のとおりです。

演算子	使用例	意味
=	x = y	x と y が等しい場合に TRUE を返す
<>	x <> y	x と y が等しくない場合に TRUE を返す
<	x < y	x が y よりも小さい場合に TRUE を返す
<=	x <= y	x が y と同じかまたは小さい場合に TRUE を返す
>	x > y	x が y よりも大きい場合に TRUE を返す
>=	x >= y	x が y と同じかまたは大きい場合に TRUE を返す
IN	x IN y	x が y の中のいずれかである場合に TRUE を返す
NOT IN	x NOT IN y	x が y の中のいずれでもない場合に TRUE を返す
BETWEEN	z BETWEEN x AND y	z が x 以上 y 以下の範囲に含まれる場合に TRUE を返す
NOT BETWEEN	z NOT BETWEEN x AND y	z は x よりも小さいか、または y よりも大きい場合に TRUE を返す
EXISTS	x EXISTS y	副問い合わせ (y) によって行が 1 行以上戻される場合に TRUE を返す
NOT EXISTS	x NOT EXISTS y	副問い合わせ (y) によって行が 1 行も戻されない場合に TRUE を返す
LIKE	x LIKE y	x がパターン y と一致する場合に TRUE を返す
NOT LIKE	x NOT LIKE y	x がパターン y と一致しない場合に TRUE を返す
IS NULL ※	x IS NULL	x が NULL の場合に TRUE を返す
IS NOT NULL ※	x IS NOT NULL	x が NULL ではない場合に TRUE を返す

※計算すべき項がない演算子で、単項演算子と呼ばれます。

WHERE句では、AND（2つの条件を結合して、両方の条件が真の場合に、条件が成立したと判断する）やOR（2つの条件を結合して、どちらか一方の条件が真の場合に、条件が成立したと判断する）を使って複数の条件を組み合わせることでさらに絞り込むことができます。

たとえば次のSQL文は身長が180cm以上で、かつ体重が80kg以上の社員を表示します。

```
SELECT
    EmployeeName
FROM
    Employees
WHERE
    Height >= 180
    AND
    Weight >= 80
;
```

以下のようにORを使うと、身長が180cm以上、または体重が80kg以上の社員を表示します。

```
SELECT
    EmployeeName
FROM
    Employees
WHERE
    Height >= 180
```

```
    OR
    Weight >= 80
;
```

ドリルでマスター

■ 書いてみよう

前述の書き順に沿って、身長180cm以上の人をピックアップするSQL文を書いてみてください。

■ 練習問題

いろいろな条件でレコードを絞り込むSQL文を書いてみましょう。解答はA-03ページを参照してください。

第1問 テーブルProductsからPriceが2,500以上のProductNameを取り出しなさい。

```
SELECT
    [            ]
FROM
    [            ]
WHERE
    [            ] >=2500
;
```

第2問 テーブルEmployeesからWeightが70以上のEmployeeName、Weightを取り出しなさい。

```
SELECT
    [            ]
  , [            ]
FROM
```

　　　　□□□□
　　　　┌┄┄┐
　　　　└┄┄┘
　　　□□□　□　□□
;

第3問 テーブルEmployeesからHeightが160以上180以下のEmployeeName、Heightを取り出しなさい。

　　　┌┄┄┄┄┐
　　　└┄┄┄┄┘
　　　□□□□□□□□□□
　　　┌┄┄┐
　　　└┄┄┘
,
　　　┌┄┄┐
　　　└┄┄┘
　　　□□□□□□
　　　┌┄┄┐
　　　└┄┄┘
　　　□□□□　BETWEEN　□□　AND　□□
;

第4問 テーブルSalesからSalesDateが2007年6月1日以降のSaleIDを取り出しなさい。SaleDateの表記は「2007-06-01」となっています。

第5問 テーブルEmployeesからHeightが170以上、Weightが60以上のEmployeeName、Height、Weightを取り出しなさい。

その9 ある条件でレコードを絞り込む（2）

PostgreSQL　MySQL　Oracle　SQL Server

練習編

問題 「〜子」という名前の人の人数を教えてくれ

ある日、あなたは上司に頼まれました。

「最近の女性の名前って、昔みたいに〜子ってつく人少ない気がするんだよな。うちの会社だと何人いるんだろう」

社員テーブルの名前はEmployeesです。社員テーブルの中にはEmployeeName（氏名）という列があります。さて、どのようにすればいいでしょうか。

ポイント **LIKE演算子を使います**

LIKE演算子とは、WHERE句に書く条件に使用するもので、指定した文字列を含んでいるかどうかを調べます。任意の文字列の場合は「％（パーセント）」、任意の1文字の場合は「＿（アンダースコア）」を使うことができます。

解答
```
SELECT
    COUNT( * ) AS 子のつく社員の人数
FROM
    Employees
WHERE
    EmployeeName LIKE '%子'
;
```

構文チェック　LIKE演算子を使ってレコードを絞り込む

まずはLIKE演算子を使ってレコードを絞り込むSQL構文を確認しましょう。

```
SELECT
    選択リスト
FROM
    テーブル名
WHERE
    列名 LIKE パターン
```

のようになります。

書き順と考え方

まず、「SELECT」と「;」を書きます。

```
SELECT
;
```

どのテーブルから取り出すのかをFROM句で指定します。

```
SELECT
FROM
    テーブル名
;
```

次に、WHERE句を書きます。

```
SELECT
FROM
    テーブル名
WHERE
;
```

レコードを特定するための条件を書きます。今回はLIKE演算子を使います。

```
SELECT
FROM
    テーブル名
WHERE
    列名 LIKE パターン
;
```

最後に選択リストを書きます。

```
SELECT
    列名
FROM
    テーブル名
WHERE
    列名 LIKE パターン
;
```

「〜子」という名前の人の人数を数えるSQLの書き順は、次のようになります。今回は、集合関数であるCOUNT()も使っています。

```
❶ SELECT
   ;

❷ SELECT
   FROM
       Employees
```

```
  ;
❸ SELECT
  FROM
    Employees
  WHERE
  ;
❹ SELECT
  FROM
    Employees
  WHERE
    EmployeeName LIKE '%子'
  ;
❺ SELECT
        AS 子のつく社員の人数
  FROM
    Employees
  WHERE
    EmployeeName LIKE '%子'
  ;
❻ SELECT
    COUNT(  ) AS 子のつく社員の人数
  FROM
    Employees
  WHERE
    EmployeeName LIKE '%子'
  ;
❼ SELECT
    COUNT( * ) AS 子のつく社員の人数
  FROM
    Employees
  WHERE
    EmployeeName LIKE '%子'
  ;
```

このとき、SQLは下の図のような動作をします。

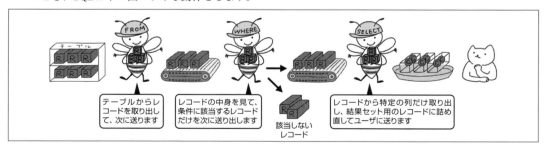

FROMで指定したテーブルから取り出されたレコードは、まずWHEREの条件に該当したものだけに絞り込まれます。絞り込まれたレコードを蓄積して件数を数えます。数えた件数を新しいレコードとして結果セットを作ります。

実行結果

実行結果は次のようになるはずです。

子のつく社員の人数
2

🐾 ワンポイントレッスン 🐾

文字列の比較のことをパターンマッチングとも言います。パターンの指定を記述するときは、まずシングルクォーテーション（' '）を先に書いてしまいましょう。順序としては次のようになります。

❶ ' ' を書く
❷ %子 を書く

よくあるのが、終わりのシングルクォーテーションを書き忘れていて、きちんと閉じられていないケースです。気づきづらいポイントですから、先に書くことを癖にしてしまいましょう。

ポイントでも触れているように、「%」は文字数を特定しません。'%子' というパターンの場合は「今日子」も「友子」も「かおる子」も条件に該当します。一方、「_」は1文字を表します。ですから '_子' というパターンの場合は、「恭子」は該当しますが「もも子」はヒットしません。

%と_は混在させることも可能ですし、何回使っても構いません。ですから、次のような書き方もOKです。

'羽生%'（「羽生」のあとに任意の文字列）
'羽%生%'（「羽」のあとに任意の文字列、「生」のあとにも任意の文字列）
'羽_生%'（「羽」のあとに任意の1文字、「生」のあとに任意の文字列）
'___生'（3文字の文字列の後に「生」という文字があるもの、つまり4文字の文字列で末尾が生という文字があるもの）

必ず1文字存在することを確認するには、たとえば次のようにします。

'羽生_%介'

この場合、「羽生光介」はヒットしますが「羽生介」はヒットしません。_のところには、必ず1文字が必要になるため、「羽生介」の場合は羽生と介の間に1文字がなく、条件に該当しないことになります。ちょっとしたことですが、意外と間違いやすいのでご注意ください。

なお、日本語を使う場合はお使いのRDBMSによっては期待した結果が得られない場合もあります。文字数の数え方が異なることがあるためです。必ずドキュメントを確認してください。

ドリルでマスター

書いてみよう

前述の書き順に沿って、「～子」という名前の人の人数を数えるSQLを書いてみてください。

練習問題

いろいろな条件で、LIKE演算子を使ってレコードを絞り込むSQL文を書いてみましょう。解答はA-04ページを参照してください。なお、LIKEの前にNOTをつけると、「含まない」という意味になります。またここでは、しっかり確認してもらうために「'」も1マス使って書いてください（次節以降は「'～'」で1マスとします）。

第1問 テーブルCustomersからCustomerNameに'株式会社'を含むCustomerNameを取り出しなさい。

```
SELECT
    □□□□□□□□□□□□□□□ AS 会社名
FROM
    □□□□□□□
WHERE
    □□□□□□□□□□□□□
                    □□□ □□ □□□□□ □□□
;
```

第2問 テーブルEmployeesからEmployeeNameに'ー'を含むレコードのHeightの平均を求めなさい。

```
SELECT
    □□□□□□□□□□□□□ AS 平均身長
FROM
    □□□□□□□
```

WHERE
       ☐☐☐☐☐☐☐☐☐☐

               ☐   ☐   ☐   ☐

;

第3問 テーブルCustomersからCustomerNameに'株式会社'を含まないレコードの件数を求めなさい。

☐☐☐☐

☐☐☐☐☐☐☐☐☐ AS 顧客数

☐☐☐

☐☐☐☐☐☐

☐☐☐

☐☐☐☐☐☐☐☐

  ☐   ☐   ☐   ☐   ☐

;

第4問 テーブルEmployeesからEmployeeNameに'リ'を含み、身長が160以下のEmployeeName、Heightを取り出しなさい。

第5問 テーブルCustomersからCustomerNameに'株式会社'を含まず、Addressに'江戸川区'を含むレコードを取り出しなさい。

コラム 「*」って何？

本書をはじめとして、SQLの入門書には必ず「*」（アスタリスク）が出てきます。選択リストにおける*は、「すべての列」を表します。すべての列ということは、これは行あるいはレコードということになります。試しに次のSQLを実行すると、

```
SELECT
  COUNT( * )
, COUNT( EndDate )
FROM
  BelongTo
;
```

実行結果は以下のようになります。

count	count
34	4

上記のSQLはWHERE句がないので、すべてのレコードを対象にしています。にもかかわらず、COUNT(*)とCOUNT(EndDate)のそれぞれの結果が異なっています。ここで、COUNT(*)は「*」の数、つまり行の数を表現しています。一方、COUNT(EndDate)のほうはEndDate列の中にある値の個数を表現しています。では、どうして値の個数のほうが行の数よりも少ないのでしょうか。これはNULLを無視しているからです。COUNT(EndDate)のほうはNULLでないものの数だけをカウントしているのです。では、もし仮にすべての列にNULLの行があった場合、この行はCOUNT(*)に含まれないのでしょうか？

いいえ、そんなことはありません。INSERTに成功したら行が追加されたことになります。「行が存在している」という事実には変わりがないため、COUNT(*)でしっかりと数に含まれます。

「*」は行を意味していると理解してください。

その10 列の値に条件を設定する

`PostgreSQL` `MySQL` `Oracle` `SQL Server`

問題

単価別にランク付けしてみてくれ

ある日、あなたは上司に頼まれました。

「うちの商品を価格帯別でランク付けしてみるとどうなるだろうか。ちょっと調べてくれ」

商品テーブルの名前はProductsです。商品テーブルの中に、商品名はProductNameという列が、単価はPriceという列があります。ランク付けは、1000円未満を「C」、1000円以上2000円未満を「B」、それ以上を「A」とします。さて、どのようにすればいいでしょうか。

ポイント CASE式を使います

CASEとは、ある値に対して条件判断を行って、その結果に従って値を返すものです。

解答

```
SELECT
   ProductName AS 商品名
 , CASE
      WHEN Price < 1000 THEN 'C'
      WHEN Price < 2000 THEN 'B'
      ELSE 'A'
   END AS ランク
FROM
   Products
;
```

構文チェック 列の値に条件を設定する

まずは列の値に条件を設定するSQL構文を確認しましょう。

```
CASE
   列名または演算式
      WHEN 比較する値 THEN 返す結果値
      [WHEN 比較する値 THEN 返す結果値 ...]
      [ELSE 返す結果値]
END
```

または、

```
CASE
   WHEN 条件 THEN 返す結果値
   [WHEN 条件 THEN 返す結果値 ...]
   [ELSE 返す結果値]
END
```

となります。

書き順と考え方

まず、「SELECT」と「;」を書きます。

```
SELECT
;
```

どのテーブルから取り出すのかをFROM句で指定します。

```
SELECT
FROM
   テーブル名
;
```

列名を指定する前に、CASE式全体に対する別名を指定します。

```
SELECT
     AS 別名
FROM
   テーブル名
;
```

次に、CASE式を書きます。

```
SELECT
   CASE     END AS 別名
FROM
   テーブル名
;
```

条件を書きます。

```
SELECT
   CASE
       条件
   END AS 別名
FROM
   テーブル名
;
```

価格帯別にランクづけするSQL文の書き順は、以下のようになります。

❶ `SELECT`
   `;`

❷ `SELECT`
   `FROM`
     `Products`
   `;`

❸ `SELECT`
       `AS 商品名`
   `,    AS ランク`
   `FROM`
     `Products`
   `;`

❹ `SELECT`
     `ProductName AS 商品名`
   `, AS ランク`
   `FROM`
     `Products`
   `;`

❺ `SELECT`
     `ProductName AS 商品名`
   `, CASE    END AS ランク`
   `FROM`
     `Products`
   `;`

❻ `SELECT`
     `ProductName AS 商品名`
   `, CASE`
       `WHEN Price < 1000 THEN 'C'`
       `WHEN Price < 2000 THEN 'B'`
       `ELSE 'A'`
     `END AS ランク`
   `FROM`
     `Products`
   `;`

このとき、SQLは下の図のような動作をします。

テーブルからレコードを取り出して、次に送ります

レコードから特定の列だけ取り出して条件に基づいて処理を行い、結果セット用のレコードに詰め直してユーザに送ります

FROMによってテーブルから取り出したレコードの値に対して、条件が適用されます。ここでは、CASEの条件がWHEREのものとは異なることに注意してください。WHEREはレコードそのものを絞り込みますが、CASEはレコードの中の値に対して作用しています。そのため図ではSELECTが条件に基づいた処理を行っています。

実行結果

実行結果は次のようになるはずです。

商品名	ランク
まぐろ	C
金魚	C
ぶり	C
あじ	C
あなご	C
ねずみ肉	C
とり肉	C
豚肉	C

ワンポイントレッスン

条件が入れ替わると、結果が期待どおりにならないことがあります。たとえば次の2つは結果が異なります。

```
SELECT
  ProductName
, CASE
    WHEN Price < 1000 THEN 'C'
    WHEN Price < 2000 THEN 'B'
    ELSE 'A'
  END AS ランク
FROM
  Products
;
```

```
SELECT
  ProductName
, CASE
    WHEN Price < 2000 THEN 'B'
    WHEN Price < 1000 THEN 'C'
    ELSE 'A'
  END AS ランク
FROM
  Products
;
```

　具体的には、Priceの値が800だった場合に、前者だと'C'が、後者だと'B'が返されます。

　また、RDBMSによっては、CASE式が使えない場合もあります。CASE式の代わりにDECODE関数（与えられた式を評価し、指定された値を返す関数）を使うRDBMSもあります。

ドリルでマスター

書いてみよう

前述の書き順に沿って、価格帯別にランク付けするSQLを書いてみてください。

練習問題

いろいろな条件でランク付けするSQL文を書いてみましょう。解答はA-04ページを参照してください。なお、ここからは「'～'」で1マスとします。

第1問 テーブルEmployeesを身長によって160未満を「A」、160以上170未満を「B」、170以上180未満を「C」、180以上を「D」にランク分けし、EmployeeName（「社員名」という別名をつける）と「ランク」を表示しなさい。

```
SELECT
    [                           ] AS 社員名
  , CASE
       WHEN [              ] < 160 THEN 'A'
       WHEN [              ] < 170 THEN 'B'
       WHEN [              ] < 180 THEN 'C'
       ELSE 'D'
    END AS ランク
  FROM
    [              ]
;
```

第2問 テーブルSalaryをAmountによって150,000未満を「D」、150,000以上300,000未満を「C」、300,000以上500,000未満を「B」、500,000以上を「A」にランク分けし、SalaryID、ランクを表示しなさい。

```
SELECT
    [            ]         AS 給与ID
  [      ]
  ,
    WHEN [         ] < 150000 THEN [         ]
    WHEN [         ] < 300000 THEN [         ]
    WHEN [         ] < 500000 THEN [         ]
    ELSE [         ]
  [    ] AS ランク
FROM
    [         ]
;
```

第3問 テーブルEmployeesを体重によって60未満を「A」、60以上70未満を「B」、70以上80未満を「C」、80以上を「D」にランク分けし、EmployeeName、ランクを表示しなさい。

```
[         ]
    [                     ] AS 社員名
[      ]
,
    [         ] [         ] < 60 THEN [         ]
    [         ] [         ] < 70 THEN [         ]
    [         ] [         ] < 80 THEN [         ]
  [      ] [    ]
  [    ] AS ランク
[      ]
    [             ]
;
```

第4問 テーブルSalesをQuantityによって、10以上を「A」、10未満を「B」にランク分けし、SaleID（「販売ID」という別名をつける）、ランクを表示しなさい。

第5問 テーブルEmployeesを身長によって160未満を「A」、160以上170未満を「B」、170以上180未満を「C」、180以上を「D」にランク分けし、EmployeeName（「社員名」と別名をつける）、Height（「身長」と別名をつける）とランクを表示しなさい。

その11 グループ単位で集計する

PostgreSQL MySQL Oracle SQL Server

練習編

問題

都道府県別の顧客数を教えてくれ

ある日、あなたは上司に頼まれました。

「都道府県別に、それぞれ何人ずつ顧客がいるのか教えてくれ」

顧客テーブルの名前はCustomersです。顧客テーブルの中に、都道府県はPrefecturalIDという列があります。さて、どのようにすればいいでしょうか。

都道府県	顧客数
北海道	15 ネコ
青森	8 ネコ
岩手	3 ネコ
秋田	2 ネコ
宮城	4 ネコ
:	:

ポイント GROUP BY句を使って、グループ化を行います

GROUP BYとは、ある列に対して、同じ値ごとに1つのグループとしてまとめていくものです。

解答

```sql
SELECT
    PrefecturalID AS 都道府県
, COUNT( * ) AS 顧客数
FROM
    Customers
GROUP BY
    PrefecturalID
;
```

構文チェック グループ単位で集計する

まずはグループ単位で集計するSQL構文を確認しましょう。

```sql
SELECT
    グループ化列名
, 集合関数
FROM
    テーブル名
GROUP BY
    グループ化列名
```

のようになります。なお、グループ化を行う場合、選択リストで許可されるのは、グループ化のキーとなる列名か、あるいは集合関数のみです。意外と混乱しやすいのでご注意ください。

書き順と考え方

まず、「SELECT」と「;」を書きます。

```
SELECT
;
```

どのテーブルから取り出すのかをFROM句で指定します。

```
SELECT
FROM
    テーブル名
;
```

次に、GROUP BY句を書きます。

```
SELECT
FROM
    テーブル名
GROUP BY
;
```

何によってグループ化するのかを指定します。

```
SELECT
FROM
    テーブル名
GROUP BY
    グループ化列名
;
```

グループ化する列名を選択リストに先に入れておきます。

```
SELECT
    グループ化列名
FROM
    テーブル名
GROUP BY
    グループ化列名
;
```

次に、グループごとに行う集合関数を指定します。

```
SELECT
    グループ化列名
  , 関数名( )
FROM
    テーブル名
GROUP BY
    グループ化列名
;
```

最後に、集合関数の中に列名を記述します。

```
SELECT
   グループ化列名
,  関数名( 列名 )
FROM
   テーブル名
GROUP BY
   グループ化列名
;
```

都道府県別の顧客数を出すSQL文の書き順は、次のようになります。

❶
```
SELECT
;
```

❷
```
SELECT
FROM
   Customers
;
```

❸
```
SELECT
FROM
   Customers
GROUP BY
;
```

❹
```
SELECT
FROM
   Customers
GROUP BY
   PrefecturalID
;
```

❺
```
SELECT
   PrefecturalID
FROM
   Customers
GROUP BY
   PrefecturalID
;
```

❻
```
SELECT
   PrefecturalID
,  COUNT(   )
FROM
   Customers
GROUP BY
   PrefecturalID
;
```

❼
```
SELECT
   PrefecturalID
,  COUNT( * )
```

```
FROM
    Customers
GROUP BY
    PrefecturalID
;
```

このとき、SQLは下の図のような動作をします。

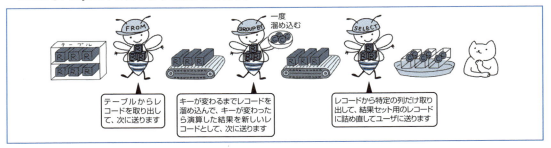

FROMで取り出したレコードをGROUP BYで指定したキーが変わるまで溜め込みます。キーが変わるごとに溜め込んだレコードの集合に対して、集合関数の処理を行います。

実行結果

実行結果は次のようになるはずです。

都道府県	顧客数
1	1
38	1
8	3
10	1
11	2
27	1
13	19

ワンポイントレッスン

グループ化はグルーピングとも呼びます。グループ化のための列の指定は複数行うことができます。たとえば次の例では、PrefecturalIDとCustomerClassIDを指定しています。

```
SELECT
    PrefecturalID AS 都道府県
,   CustomerClassID AS 会員種別
,   COUNT( * ) AS 顧客数
FROM
    Customers
GROUP BY
    PrefecturalID
,   CustomerClassID
;
```

実行結果は次のようになるはずです。

都道府県	会員種別	顧客数
1	1	1
13	1	6
14	2	2
13	2	13
11	2	2
10	2	1
8	1	2
9	2	1

また、集合関数も複数指定可能です。次の例では、CASE式を使って会員種別が1の人が何人いるかも同時に合計しています。

```
SELECT
  PrefecturalID AS 都道府県
, CustomerClassID AS 会員種別
, COUNT( * ) AS 顧客数
, SUM(
    CASE
      WHEN CustomerClassID = 1 THEN 1
      ELSE 0
    END
  ) AS 顧客数
FROM
  Customers
GROUP BY
  PrefecturalID
, CustomerClassID
;
```

実行結果は次のようになります。

都道府県	会員種別	顧客数	顧客数
1	1	1	1
13	1	6	6
14	2	2	0
13	2	13	0
11	2	2	0
10	2	1	0
8	1	2	2
9	2	1	0

集合関数を使わずに、単にグループ化だけ行うこともできます。次の例は、Customersテーブルに存在するPrefecturalIDをユニークにする、という機能を果たします。同じ値ごとにグループ化されるわけですから、重複が排除された結果を得られるようになります。

```
SELECT
  PrefecturalID AS 都道府県
FROM
  Customers
GROUP BY
  PrefecturalID
;
```

これはもちろん複数列の指定も可能です。

ドリルでマスター

■ 書いてみよう

前述の書き順に沿って、都道府県別の顧客数を出すSQLを書いてみてください。

■ 練習問題

いろいろなパターンでグループ単位で集計するSQL文を書いてみましょう。解答はA-05ページを参照してください。

第1問 テーブルSalesをCustomerIDでグループ化し、CustomerIDごとの件数を求めなさい。

```
SELECT
    [          ] AS 顧客ID
  , [          ] AS 件数
FROM
    [          ]
GROUP BY
    [          ]
;
```

第2問 テーブルSalaryをEmployeeIDでグループ化し、EmployeeIDごとのAmount合計を求めなさい。

```
SELECT
    [          ] AS 社員ID
  , [          ] AS 合計
FROM
```

```
          [        ]
GROUP BY
          [        ]
;
```

第3問 テーブルSalesをCustomerID、ProductIDでグループ化し、CustomerID、ProductIDごとのQuantity合計を求めなさい。

```
[        ]
    [            ] AS 顧客ID
,   [            ] AS 商品ID
,   [            ] AS 数量
[        ]
    [            ]
[        ]
    [            ]
,   [            ]
;
```

第4問 テーブルEmployeesをBloodType（「血液型」と別名をつける）でグループ化し、Height、Weightの平均値（それぞれ別名は「平均身長」、「平均体重」とする）を求めなさい。

第5問 テーブル Salary を EmployeeID（別名は「社員ID」）でグループ化し、レコード数（別名は「支給回数」）、Amount の平均値（別名は「平均支給額」）を求めなさい。

その12 グループ単位で集計した結果を絞り込む(1)

PostgreSQL　MySQL　Oracle　SQL Server

練習編

問題
顧客数が3人以上の都道府県を教えてくれ

ある日、あなたは上司に頼まれました。

「この前の都道府県別顧客数だけど、顧客数が3人以上の都道府県だけを出してくれ」

顧客テーブルの名前はCustomersです。顧客テーブルの中に、都道府県はPrefecturalIDという列があります。さて、どのようにすればいいでしょうか。

ポイント HAVING句を使って、グループ化した結果を絞り込みます

HAVING句とは、あるグループ化された結果に対して、絞り込みの条件を追加するものです。

解答
```
SELECT
    PrefecturalID AS 都道府県
, COUNT( * ) AS 顧客数
FROM
    Customers
GROUP BY
    PrefecturalID
HAVING
    COUNT( * ) >= 3
;
```

構文チェック　HAVING句でグループ化した結果を絞り込む

まずはHAVING句を使ってグループ化した結果を絞り込むSQL構文を確認しましょう。

```
SELECT
    グループ化列名
, 集合関数
FROM
    テーブル名
GROUP BY
    グループ化列名
HAVING
    条件
```

のようになります。

書き順と考え方

まず、「SELECT」と「;」を書きます。

```
SELECT
;
```

どのテーブルから取り出すのかをFROM句で指定します。

```
SELECT
FROM
    テーブル名
;
```

次に、何によってグループ化するのかを指定します。

```
SELECT
FROM
    テーブル名
GROUP BY
    グループ化列名
;
```

グループ化する列名を選択リストに先に入れておきます。

```
SELECT
    グループ化列名
FROM
    テーブル名
GROUP BY
    グループ化列名
;
```

次に、グループごとに使用する集合関数を指定します。

```
SELECT
    グループ化列名
  , 関数名( )
FROM
    テーブル名
GROUP BY
    グループ化列名
;
```

集合関数の中に列名を記述します。

```
SELECT
    グループ化列名
,   関数名( 列名 )
FROM
    テーブル名
GROUP BY
    グループ化列名
;
```

最後に、HAVING句とその条件を書きます。

```
SELECT
    グループ化列名
,   関数名( 列名 )
FROM
    テーブル名
GROUP BY
    グループ化列名
HAVING
    条件
;
```

顧客数が3人以上の都道府県を出すSQLの場合は、以下のような書き順になります。

❶ ```
SELECT
;
```

❷ ```
SELECT
FROM
    Customers
;
```

❸ ```
SELECT
FROM
    Customers
GROUP BY
    PrefecturalID
;
```

❹ ```
SELECT
    PrefecturalID
FROM
    Customers
GROUP BY
    PrefecturalID
;
```

❺ ```
SELECT
    PrefecturalID
,   COUNT( )
FROM
    Customers
GROUP BY
```
```

```
         PrefecturalID
    ;
❻ SELECT
      PrefecturalID
    , COUNT( * )
    FROM
      Customers
    GROUP BY
      PrefecturalID
    ;
❼ SELECT
      PrefecturalID
    , COUNT( * )
    FROM
      Customers
    GROUP BY
      PrefecturalID
    HAVING
      COUNT( * ) >= 3
    ;
```

となります。
このとき、SQLは下の図のような動作をします。

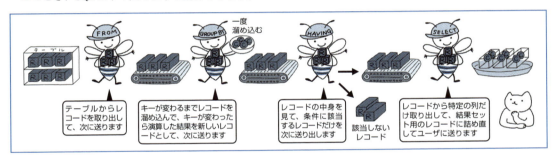

基本的には前節のグループ化と同じです。注意してほしいのは、HAVINGによってある条件に合致するレコードを絞り込んでいますが、この対象になるのはグループ化された後のレコードであるということです。

実行結果

実行結果は次のようになるはずです。

都道府県	顧客数
8	3
13	19

ワンポイントレッスン

HAVING句は、上の図を見てもわかるようにグループ化した「結果」に作用します。また、条件は複数指定

することができます。条件の間はANDまたはORでつなぐことができます。たとえば次のようになります。この例では、都道府県別の顧客数が5人以下または10人以上のものを取り出す条件を指定しています。

```
SELECT
    PrefecturalID AS 都道府県
,   COUNT( * ) AS 顧客数
FROM
    Customers
GROUP BY
    PrefecturalID
HAVING
    COUNT( * ) <= 5 OR COUNT( * ) >= 10
;
```

実行結果は、次のようになるはずです。

都道府県	顧客数
1	1
38	1
8	3
10	1
11	2
27	1
13	19

ドリルでマスター

書いてみよう

前述の書き順に沿って、顧客数が3人以上の都道府県を出すSQLを書いてみてください。

練習問題

いろいろなパターンで、HAVING句を使ってグループ化した結果を絞り込むSQL文を書いてみましょう。解答はA-05ページを参照してください。

第1問 テーブルSalaryからレコード数が12未満のEmployeeIDとレコード数を取り出しなさい。

```
SELECT
    [              ] AS 社員ID
  , [              ] AS 支給回数
FROM
    [              ]
GROUP BY
    [              ]
HAVING
    [              ] < 12
;
```

第2問 テーブルCustomersをPrefecturalIDでグループ化し、複数レコードを持つPrefecturalIDを表示しなさい。

```
SELECT
    [              ] AS 県ID
  , [              ] AS 顧客数
FROM
    [              ]
GROUP BY
    [              ]
[              ]
    [              ] > 1
;
```

第3問 テーブルSalesをProductIDでグループ化し、レコードを10以上、50以下持つProductIDとそのレコード数を表示しなさい。

```
[              ]
    [              ] AS 商品ID
```

☐   AS 売上レコード数
,
  ┌ ─ ─ ─ ─ ─ ─ ─ ─ ┐
  └ ─ ─ ─ ─ ─ ─ ─ ─ ┘

  ☐

  ┌ ─ ─ ─ ─ ─ ─ ─ ─ ─ ┐
  └ ─ ─ ─ ─ ─ ─ ─ ─ ─ ┘

  ☐

  ┌ ─ ─ ─ ┐
  └ ─ ─ ─ ┘

  ☐   >= ☐ AND ☐   <= ☐
;

第4問 テーブル Employees を BloodType でグループ化したとき、10件以上持つ BloodType（別名は「血液型」）、データ数（別名は「データ件数」）を表示しなさい。

第5問 テーブル Sales を ProductID でグループ化したとき、Quantity の合計が 100 以上かつ 200 以下の ProductID（別名は「商品ID」）、Quantity 合計（別名は「数量合計」）を表示しなさい。

その13 グループ単位で集計した結果を絞り込む(2)

PostgreSQL　MySQL　Oracle　SQL Server

問題　法人客の数が2人以上の都道府県を教えてくれ

ある日、あなたは上司に頼まれました。

「この前の都道府県別顧客数だけど、会員種別が法人の顧客数が2人以上の都道府県だけを出してくれ」

顧客テーブルの名前はCustomersです。顧客テーブルの中に、都道府県はPrefecturalIDという列が、会員種別はCustomerClassIDがあります。なお、CustomerClassIDが1の場合に法人客を示します。さて、どのようにすればいいでしょうか。

ポイント　WHERE句とHAVING句を組み合わせます

WHERE句とHAVING句はすでに学んでいますので、再度確認してください。

解答

```
SELECT
    PrefecturalID AS 都道府県
,   COUNT( * ) AS 顧客数
FROM
    Customers
WHERE
    CustomerClassID = 1
GROUP BY
    PrefecturalID
HAVING
    COUNT( * ) >= 2
;
```

構文チェック　WHERE句とHAVING句で、グループ単位の集計結果を絞り込む

まずはWHERE句とHAVING句を組み合わせてグループ単位で集計した結果を絞り込むSQL構文を確認しましょう。

```
SELECT
    グループ化列名
,   集合関数
FROM
    テーブル名
```

```
WHERE
    グループ化される前の個別のレコードに対する条件
GROUP BY
    グループ化列名
HAVING
    グループ化した結果に対する条件
```

のようになります。

書き順と考え方

まず、「SELECT」と「;」を書きます。

```
SELECT
;
```

どのテーブルから取り出すのかをFROM句で指定します。

```
SELECT
FROM
    テーブル名
;
```

次に、「WHERE」と書きます。

```
SELECT
FROM
    テーブル名
WHERE
;
```

レコードを特定するための条件を書きます。

```
SELECT
FROM
    テーブル名
WHERE
    条件
;
```

さらに、何によってグループ化するのかを指定します。

```
SELECT
FROM
    テーブル名
WHERE
    条件
GROUP BY
    グループ化列名
;
```

グループ化する列名を選択リストに先に入れておきます。

```
SELECT
    グループ化列名
FROM
    テーブル名
WHERE
    条件
GROUP BY
    グループ化列名
;
```

次に、グループごとに行う集合関数を指定します。

```
SELECT
    グループ化列名
  , 関数名( )
FROM
    テーブル名
WHERE
    条件
GROUP BY
    グループ化列名
;
```

集合関数の中に列名を記述します。

```
SELECT
    グループ化列名
  , 関数名( 列名 )
FROM
    テーブル名
WHERE
    条件
GROUP BY
    グループ化列名
;
```

最後に、HAVING句とその条件を書きます。

```
SELECT
    グループ化列名
  , 関数名( 列名 )
FROM
    テーブル名
WHERE
    条件
GROUP BY
    グループ化列名
HAVING
    条件
;
```

会員種別が法人の顧客数が2人以上の都道府県を出すSQLの書き順は、以下のようになります。

❶ SELECT
  ;

❷ SELECT
  FROM
    Customers
  ;

❸ SELECT
  FROM
    Customers
  WHERE
    CustomerClassID = 1
  ;

❹ SELECT
  FROM
    Customers
  WHERE
    CustomerClassID = 1
  GROUP BY
    PrefecturalID
  ;

❺ SELECT
    PrefecturalID
  FROM
    Customers
  WHERE
    CustomerClassID = 1
  GROUP BY
    PrefecturalID
  ;

❻ SELECT
    PrefecturalID
    , COUNT(   )
  FROM
    Customers
  WHERE
    CustomerClassID = 1
  GROUP BY
    PrefecturalID
  ;

❼ SELECT
    PrefecturalID
    , COUNT(*)
  FROM
    Customers
  WHERE
    CustomerClassID = 1

```
  GROUP BY
    PrefecturalID
  ;

❽ SELECT
    PrefecturalID
  , COUNT( * )
  FROM
    Customers
  WHERE
    CustomerClassID = 1
  GROUP BY
    PrefecturalID
  HAVING
    COUNT( * ) >= 2
  ;
```

このとき、SQLは次の図のような動作をします。

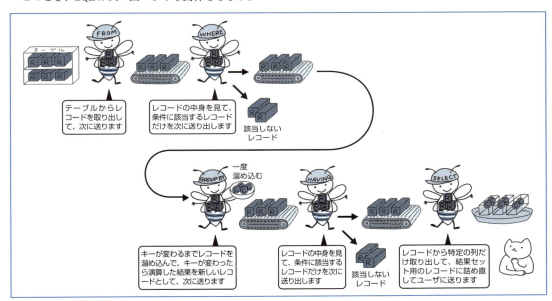

これも基本的には前節と同じです。WHEREと組み合わせて使う場合は、条件の作用する対象が異なるということを意識してください。WHEREはFROMが取り出した直後のレコードに、HAVINGはグループ化された直後のレコードに、それぞれ作用します。

実行結果

実行結果は次のようになるはずです。

都道府県	顧客数
13	6
8	2

ワンポイントレッスン

WHERE句は、前ページの図を見るとおわかりのようにグループ化される「前」の個別のレコードに作用します。一方でHAVING句は、グループ化した「結果」に作用します。つまり、次のようになります。

❶ テーブルからWHERE句によって絞り込まれたレコードの集合として一時的なテーブルが作られます。
❷ このレコードをグループ化して、別の一時的なテーブルがさらに作られます。
❸ ❷の結果の一時的なテーブルをHAVING句によって絞り込んだ結果を最終的な結果セットとして返します。

ですから、条件をどちらに適用したいのかを切り分けて記述することを意識してください。

ドリルでマスター

書いてみよう

前述の書き順に沿って、会員種別が法人の顧客数が2人以上の都道府県を出すSQLを書いてみてください。

練習問題

いろいろなパターンで、WHERE句とHAVING句と組み合わせたSQL文を書いてみましょう。解答はA-06ページを参照してください。

第1問 テーブルCustomersをPrefecturalIDでグループ化したとき、PrefecturalIDが10以上で複数の顧客を持つPrefecturalID、レコード数を表示しなさい。

```
SELECT
    ┌─────────────────────────────┐
    │                             │ AS 県ID
    └─────────────────────────────┘
    ┌─────────────────────────────┐
  , │                             │ AS 顧客数
    └─────────────────────────────┘
FROM
    ┌─────────────────────────────┐
    │                             │
    └─────────────────────────────┘
WHERE
    ┌─────────────────────────────┐
    │                             │ >= 10
    └─────────────────────────────┘
GROUP BY
    ┌─────────────────────────────┐
    │                             │
    └─────────────────────────────┘
HAVING
    ┌─────────────────────────────┐
    │                             │ > 1
    └─────────────────────────────┘
;
```

第2問 テーブル Salary からレコード数が 12 以上、EmployeeID が 20 以上の EmployeeID とレコード数を取り出しなさい。

```
SELECT
    ┌─────────────────────────────┐
    │                             │ AS 社員ID
    └─────────────────────────────┘
    ┌─────────────────────────────┐
  , │                             │ AS 支給回数
    └─────────────────────────────┘
FROM
    ┌─────────────────────────────┐
    │                             │
    └─────────────────────────────┘
WHERE
    ┌─────────────────────────────┐
    │                             │ >= 20
    └─────────────────────────────┘
GROUP BY
    ┌─────────────────────────────┐
    │                             │
    └─────────────────────────────┘
HAVING
    ┌─────────────────────────────┐
    │                             │ >= 12
    └─────────────────────────────┘
;
```

第3問 テーブル Sales を ProductID でグループ化し、レコードを 30 以上持ち、かつ ProductID が 20 以上 30 以下の ProductID とそのレコード数を表示しなさい。

```
    ┌ ─ ─ ─ ─ ─ ─ ─ ─ ─ ─ ┐
    │                     │
    └ ─ ─ ─ ─ ─ ─ ─ ─ ─ ─ ┘
    ┌─────────────────────────────┐
    │                             │ AS 商品ID
    └─────────────────────────────┘
    ┌─────────────────────────────┐
    │                             │ AS 売上レコード数
    └─────────────────────────────┘
  ,
```

```
┌─────────┐
│         │
└─────────┘
  ┌──────────┐
  │          │
  └──────────┘
┌─────────┐
│         │
└─────────┘
  ┌────────────────┐     ┌───────┐       ┌────────────────┐     ┌───────┐
  │                │ >=  │       │  AND  │                │ <=  │       │
  └────────────────┘     └───────┘       └────────────────┘     └───────┘
┌─────────┐
│         │
└─────────┘
  ┌──────────┐
  │          │
  └──────────┘
┌─────────┐
│         │
└─────────┘
  ┌────────────────┐     ┌───────┐
  │                │ >=  │       │
  └────────────────┘     └───────┘
;
```

第4問 テーブル Employees を BloodType でグループ化したとき、Height が 165 以上の社員データを 5 件以上持つ BloodType（別名は「血液型」）、データ数（別名は「データ件数」）を表示しなさい。

第5問 テーブル Sales を ProductID でグループ化したとき、SaleDate が 2007-06-01 以降で Quantity の合計が 200 以上の ProductID（別名は「商品 ID」）、Quantity 合計（別名は「数量合計」）を表示しなさい。

その14 クロス集計を行う

PostgreSQL HTML参照 / MySQL / Oracle HTML参照k / SQL Server

問題

社員の血液型別の人数ってどうなってるんだろう

ある日、あなたは上司に頼まれました。

「うちの会社って、血液型は何が多いんだろうね。それぞれの人数を入社年度ごとに出してくれ」

社員テーブルの名前はEmployeesです。社員テーブルの中にはBloodType（血液型）とHireFiscalYear（入社年度）という列があります。さて、どのようにすればいいでしょうか。

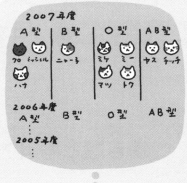

ポイント グループ化とCASE式を組み合わせてクロス集計を実現します

クロス集計とは、縦と横にそれぞれグループ化する項目が設定されている集計方式です。

解答

```sql
SELECT
  HireFiscalYear AS 入社年度
, SUM(
    CASE
      WHEN BloodType = 'A' THEN 1
      ELSE 0
    END
  ) AS A型
, SUM(
    CASE
      WHEN BloodType = 'B' THEN 1
      ELSE 0
    END
  ) AS B型
, SUM(
    CASE
      WHEN BloodType = 'O' THEN 1
      ELSE 0
    END
  ) AS O型
, SUM(
    CASE
      WHEN BloodType = 'AB' THEN 1
      ELSE 0
    END
```

```
        ) AS AB型
FROM
  Employees
GROUP BY
  HireFiscalYear
;
```

構文チェック　クロス集計

　クロス集計は、すでに学習したCASE式（その10）とグループ化（その11）を利用して行います。それぞれの構文を確認しておいてください。

書き順と考え方

　考え方は普通のグループ化と同じです。ただし、通常のグループ化に加えて

- CASE式を用いて横の振り分けを行う
- カウントはCOUNT関数ではなくSUM関数で1を加算していく

ということが必要になります。

　入社年度ごとに各血液型の人の数を出すSQLは、以下のような書き順になります。

❶
```
SELECT
;
```

❷
```
SELECT
FROM
  Employees
;
```

❸
```
SELECT
FROM
  Employees
GROUP BY
  HireFiscalYear
;
```

❹
```
SELECT
  HireFiscalYear AS 入社年度
FROM
  Employees
GROUP BY
  HireFiscalYear
;
```

❺
```
SELECT
  HireFiscalYear AS 入社年度
, SUM(   ) AS A型
, SUM(   ) AS B型
```

```
    , SUM(   ) AS O型
    , SUM(   ) AS AB型  FROM
      Employees
    GROUP BY
      HireFiscalYear
    ;
❻ SELECT
      HireFiscalYear AS 入社年度
    , SUM( 1 ) AS A型
    , SUM( 1 ) AS B型
    , SUM( 1 ) AS O型
    , SUM( 1 ) AS AB型
    FROM
      Employees
    GROUP BY
      HireFiscalYear
    ;
❼ SELECT
    HireFiscalYear AS 入社年度
  , SUM(
        CASE
          WHEN BloodType = 'A' THEN 1
          ELSE 0
        END
      ) AS A型
  , SUM(
        CASE
          WHEN BloodType = 'B' THEN 1
          ELSE 0
        END
      ) AS B型
  , SUM(
        CASE
          WHEN BloodType = 'O' THEN 1
          ELSE 0
        END
      ) AS O型
  , SUM(
        CASE
          WHEN BloodType = 'AB' THEN 1
          ELSE 0
        END
      ) AS AB型
  FROM
    Employees
  GROUP BY
    HireFiscalYear
  ;
```

このとき、SQLは次ページの図のような動作をします。

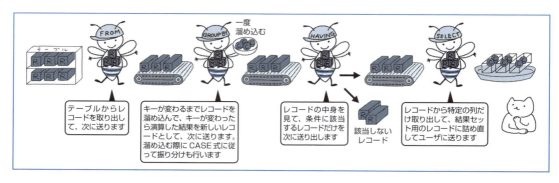

流れとしては、グループ化と同様です。ただし、グループ化される前のレコードの値に対して、CASEが作用しています。

実行結果

実行結果は次のようになるはずです。

入社年度	A型	B型	O型	AB型
1987	3	1	1	1
1988	1	2	3	0
1989	0	2	0	0
1991	2	0	0	0
1992	0	0	1	1
1993	0	0	1	0
1994	0	0	1	0
1996	0	2	0	0

クロス集計の場合、混乱するのは何をグループ化のための項目にするかです。今回の問題ですと、ついつい血液型をGROUP BY句に指定してしまいたくなります。しかし、表示させる際は同じ行に横並びになるのですから、GROUP BY句に指定するとうまくいきません。「横に並べるものはCASEで振り分ける」というふうに考えるとよいでしょう。ただし、この方法でクロス集計を実現する場合は、横の列数が固定になります。この点に注意してください。

ドリルでマスター

書いてみよう

前述の書き順に沿って、入社年度ごとに各血液型の人の数を出すSQLを書いてみてください。

練習問題

いろいろなパターンで、クロス集計を行うSQL文を書いてみましょう。解答はA-06ページを参照してください。

第1問 テーブルEmployeesをHireFiscalYear（入社年度）でグループ化したとき、Height（身長）を次の4つの範囲に分けて、それぞれの人数を表示しなさい。「160cm以下：Heightが160以下」「170cm以下：Heightが170以下」「180cm以下：Heightが180以下」「180cm超：Heightが180より大きい」

```
SELECT
        [                        ] AS 入社年度
    , SUM(
        CASE
            WHEN [              ] <= 160 [              ] 1
                 [            ] 0
        END
        ) AS "160cm 以下"
    , SUM(
        CASE
            WHEN [            ] > 160
            AND  [            ] <= 170 [              ] 1
                 [            ] 0
        END
        ) AS "170cm 以下"
    , SUM(
        CASE
            WHEN [            ] > 170
            AND  [            ] <= 180 [              ] 1
                 [            ] 0
        END
        ) AS "180cm 以下"
    , SUM(
        CASE
            WHEN [            ] > 180 [              ] 1
                 [            ] 0
        END
        ) AS "180cm 超"
FROM
    [            ]
GROUP BY
    [                    ]
;
```

第2問 テーブル Products を CategoryID（商品カテゴリ ID）でグループ化したとき、Price（単価）を次の4つの範囲に分けて、それぞれの商品数を表示しなさい。「100円未満：Price が 100 未満」「400円未満：Price が 400 未満」「1000円未満：Price が 1000 未満」「1000円以上：Price が 1000 以上」

```
SELECT
    _____  AS 商品カテゴリ ID
, SUM(
    _____
        _____   _____     < 100  _____     1
                                                    0
        _____
  ) AS "100 円未満"
, SUM(
    _____
        _____   _____     >= 100
        AND  _____     < 400  _____     1
                                       0
        _____
  ) AS "400 円未満"
, SUM(
    _____
        _____   _____     >= 400
        AND  _____     < 1000  _____     1
                                        0
        _____
  ) AS "1000 円未満"
, SUM(
    _____
        _____   _____     >= 1000  _____     1
                                                    0
        _____
```

```
            ) AS "1000円以上"
    FROM
        ┌─────────────────────┐
        │                     │
        └─────────────────────┘
        ┌─────────────────────────┐
        │                         │
        └─────────────────────────┘
            ┌─────────────────────┐
            │                     │
            └─────────────────────┘
    ;
```

第3問 テーブルSalesをCustomerID（顧客ID）でグループ化したとき、SaleDate（販売日）の月を9月・10月・11月の3つに区分けして、それぞれの合計販売個数を表示しなさい。なお、抽出条件として販売日の年は2006年のみとします。また、「関数(引数)」は「関数」「(」「引数」「)」でそれぞれ1マスとし、引数内のSQLもそれぞれ単語単位で1マスずつ使用します。

```
    ┌──────────┐
    │          │
    └──────────┘
        ┌──────────────────────────┐
        │                          │     AS 顧客ID
        └──────────────────────────┘
        ┌──────┐┌──────┐
,       │      ││      │
        └──────┘└──────┘
            ┌──────────────────────┐
            │                      │
            └──────────────────────┘
                ┌──────────┐                                    ┌──────────┐
                │          │   MONTH( SaleDate ) = 9            │          │
                └──────────┘                                    └──────────┘
                                                                    ┌──────────────────┐
                                                                    │                  │
                                                                    └──────────────────┘
                    ┌──────────────────┐ ┌────────┐
                    │                  │ │        │
                    └──────────────────┘ └────────┘
                    ┌──────┐
                    │      │
                    └──────┘
                ┌──────────┐
                │          │   AS "9月"
                └──────────┘
            ┌──────┐┌──────┐
,           │      ││      │
            └──────┘└──────┘
        CASE
                ┌──────────────────────┐
                │                      │   MONTH( SaleDate ) = 10   ┌──────────┐
                └──────────────────────┘                            │          │
                                                                    └──────────┘
                                                                    ┌──────────────────┐
                                                                    │                  │
                                                                    └──────────────────┘
                ELSE  ┌──────────┐
                      │          │
                      └──────────┘
                    ┌──────┐
                    │      │
                    └──────┘
                        ┌──────────┐
                        │          │   AS "10月"
                        └──────────┘
                ┌──────┐┌──────┐
                │      ││      │
                └──────┘└──────┘
```

```
,
    CASE
        ┌──────────────┐ MONTH( SaleDate ) = 11 ┌──────────────┐
        └──────────────┘                        └──────────────┘
                                                    ┌──────────────────────┐
                                                    └──────────────────────┘
        ELSE  ┌─────┐
              └─────┘
        ┌─────────┐
        └─────────┘
FROM  ┌──────┐  AS "11月"
      └──────┘
    ┌──────────────┐
    └──────────────┘
    ┌──────────────────┐
    └──────────────────┘
    YEAR( ┌──────────────────┐ ) = ┌──────────┐
          └──────────────────┘     └──────────┘
    ┌──────────────────┐
    └──────────────────┘
    ┌──────────────────┐
    └──────────────────┘
;
```

第4問 テーブルCustomersをPrefecturalID（都道府県ID）でグループ化したとき、CustomerClassID（顧客クラス）を次の2つに区分けして、それぞれの顧客数を表示しなさい。「法人：CustomerClassIDが1」「個人：CustomerClassIDが2」

第5問 テーブルEmployeesをHireFiscalYear（入社年度）でグループ化したとき、Weight（体重）を次の4つの範囲に分けて、それぞれの人数を表示しなさい。「50kg以下（別名は「50kg以下」とします）：Weightが50以下」「60kg以下（別名は「51〜60kg」とします）：Weightが60以下」「80kg以下（別名は「61〜80kg」とします）：Weightが80以下」「80kg超（別名は「80kg超とします」）：Weightが80より大きい」

その15 並び替えを行う

`PostgreSQL` `MySQL` `Oracle` `SQL Server`

問題

単価の安い順に商品名を出してくれ

ある日、あなたは上司に頼まれました。

「今、うちの会社が扱っている商品の名前を単価の安い順に一覧で全部出してくれ」

データベースの中には商品テーブルがあります。商品テーブルの名前はProductsです。商品テーブルの中に、商品名はProductNameという列が、単価はPriceという列があります。さて、どのようにすればいいでしょうか。

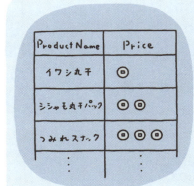

ポイント ORDER BY句を使って、並び替えを行います

ORDER BYによって、並び替えを行うための基準となる列名を指定することで、レコードの並び替えを行うことができます。

解答

```sql
SELECT
    ProductName
FROM
    Products
ORDER BY
    Price
;
```

構文チェック 並び替え

まずは並び替えを行うSQL構文を確認しましょう。

```
SELECT
    列名
FROM
    テーブル名
ORDER BY
    列名
```

書き順と考え方

まず、「SELECT」と「;」を書きます。

```
SELECT
;
```

どのテーブルから取り出すのかをFROM句で指定します。

```
SELECT
FROM
    テーブル名
;
```

次に、何によって並び替えるのかを指定します。

```
SELECT
FROM
    テーブル名
ORDER BY
    列名
;
```

最後に何を取り出すのかを指定します。

```
SELECT
    列名
FROM
    テーブル名
ORDER BY
    列名
;
```

単価の安い順に商品名を出すSQLの書き順は、以下のようになります。

❶
```
SELECT
;
```

❷
```
SELECT
FROM
    Products
;
```

❸
```
SELECT
FROM
    Products
ORDER BY
    Price
;
```

❹
```
SELECT
    ProductName
```

```
FROM
    Products
ORDER BY
    Price
;
```

このとき、SQLは下の図のような動作をします。

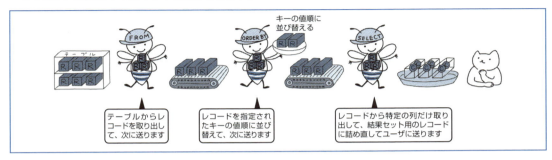

FROMがテーブルからレコードを取り出します。このときは順序良く並んでいるわけではありません。そこでORDER BYがレコードを溜め込んで並べ替えを行います。

実行結果

実行結果は次のようになるはずです。

```
ProductName
金魚
鈴
蜘蛛肉
チューチューアイス
ねこ草
またたびガム
こねずみジャーキー
ねずみ肉
```

ワンポイントレッスン

ORDER BY句で使用する列名は、選択リストの中に入っていても入ってなくても構いません。また、ORDER BY句で使用する列名は複数の列を指定することができます。

●昇順と降順

並べ替えには、昇順と降順があります。昇順というのは小さい順で並べることです。1, 2, 3, …と続きます。降順はこの逆で、大きいほうから順番に並べることです。99, 98, 97, …1というふうになります。たいていのRDBMSはデフォルトが昇順になっています。昇順であることを明示するには、列名の後ろに「ASC」と書きます。降順の場合は必ず「DESC」と書きます。ASCは「ascend」（上る）の、DESCは「descend」（下る）の略です。たとえば、

　①価格の高い順
　②同じ価格ならアルファベット順

に並べるには次のようなSQLを書きます。この例ではASCは省略しています。

```
SELECT
  ProductName
FROM
  Products
ORDER BY
  Price DESC
, ProductName
;
```

実行結果は以下のようになります。

ProductName
上り棒
ふかふか座布団
引っ掻き板
首輪
トイレトレイ
またたび
ネコジャラシ
ネコ砂

　GROUP BYと組み合わせて、集合関数の結果順に並べ替えを行うこともできます。たとえば次のようになります。

```
SELECT
  PrefecturalID
, COUNT( * )
FROM
  Customers
WHERE
  CustomerClassID = 1
GROUP BY
  PrefecturalID
HAVING
  COUNT( * ) > 5
ORDER BY
  COUNT( * ) DESC
, PrefecturalID ASC
;
```

このSQLは今まで学んできたことの組み合わせです。

❶WHERE句でそれぞれのレコードを絞り込んでいます
❷GROUP BYでグループ化しています
❸グループ化した結果をHAVING句でさらに絞り込んでいます
❹最後にORDER BYで並び替えを行っています

　書き順や構造がイメージできるでしょうか。このとき、SQLは次ページの図のような動作をしています。

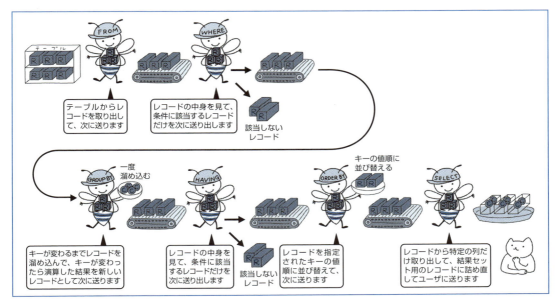

SQLの実行結果は、以下のようになります。

PrefecturalID	COUNT(*)
13	6

ドリルでマスター

書いてみよう

前述の書き順に沿って、単価の安い順に商品名を出すSQLを書いてみてください。

練習問題

いろいろなパターンで、並べ替えを行う SQL 文を書いてみましょう。解答は A-07 ページを参照してください。

第1問 テーブル Employees を BirthDay で昇順に並べ、EmployeeID、EmployeeName、BirthDay を表示しなさい。

```
SELECT
    ┌─────────────────────┐
    │                     │
    └─────────────────────┘
  , ┌─────────────────────────────────┐
    │                                 │
    └─────────────────────────────────┘
  , ┌─────────────────────┐
    │                     │
    └─────────────────────┘
FROM
    ┌─────────────────────┐
    │                     │
    └─────────────────────┘
ORDER BY
    ┌─────────────────────┐
    │                     │
    └─────────────────────┘
;
```

第2問 テーブル Sales を CustomerID、ProductID で昇順、SaleDate 降順に並べ、SaleID、Quantity、CustomerID、ProductID、SaleDate を表示しなさい。

```
SELECT
    ┌─────────────────────┐
    │                     │
    └─────────────────────┘
  , ┌─────────────────────┐
    │                     │
    └─────────────────────┘
  , ┌─────────────────────┐
    │                     │
    └─────────────────────┘
  , ┌─────────────────────┐
    │                     │
    └─────────────────────┘
  , ┌─────────────────────┐
    │                     │
    └─────────────────────┘
FROM
    ┌─────────────────────┐
    │                     │
    └─────────────────────┘
ORDER BY
    ┌─────────────────────┐
    │                     │
    └─────────────────────┘
  , ┌─────────────────────┐
    │                     │
    └─────────────────────┘
  , ┌─────────────────────┐   ┌─────────────────────┐
    │                     │   │                     │
    └─────────────────────┘   └─────────────────────┘
  ,
;
```

第3問 テーブルProductsのPriceが1,000以下のデータをCategoryIDでグループ化し、レコード数が5未満のデータをCategoryIDで昇順に並べCategoryID、レコード数を表示しなさい。

```
[        ]
[              ]
[                    ] AS 商品数
[        ]
[              ]
[        ]
[              ] <= 1000
[        ]
[              ]
[        ]
[              ] < 5
[        ]
[              ]
;
```

第4問 テーブルSalaryをEmployeeIDでグループ化、Amountを合計し、Amount合計が多い順に並べてEmployeeID（別名は「社員ID」）、Amount合計（別名は「給与合計」）を表示しなさい。

第5問 テーブルBelongToで現在所属しているEmployee（EndDateがNULL）をカウントし、レコードの多い順にDepartmentID（別名は「部署ID」）、レコード数を表示しなさい。

その16 重複を排除する

`PostgreSQL` `MySQL` `Oracle` `SQL Server`

問題

住所一覧を出してくれ

ある日、あなたは上司に頼まれました。

「顧客の中で同じ住所のデータがあるよね。住所だけで一覧を出してくれ。ダブってるのはまとめてくれて構わないから」

顧客テーブルの名前はCustomersです。顧客テーブルの中に、住所はAddressという列があります。さて、どのようにすればいいでしょうか。

ポイント DISTINCTを使って重複を排除します

DISTINCTによって、SELECT文の実行結果から選択リストの値の重複を取り除くことができます。

解答

```sql
SELECT DISTINCT
    Address AS 住所
FROM
    Customers
;
```

構文チェック 重複の排除

まずは重複を排除するSQL構文を確認しましょう。

```sql
SELECT DISTINCT
    列名
FROM
    テーブル名
```

書き順と考え方

まず、「SELECT」と「;」を書きます。

```
SELECT
;
```

どのテーブルから取り出すのかをFROM句で指定します。

```
SELECT
FROM
    テーブル名
;
```

次に、何を取り出すのかを指定します。

```
SELECT
    列名
FROM
    テーブル名
;
```

最後に、DISTINCTを記述します。

```
SELECT DISTINCT
    列名
FROM
    テーブル名
;
```

重複したデータは除いて住所一覧を出すSQLの書き順は、以下のようになります。

❶
```
SELECT
;
```

❷
```
SELECT
FROM
    Customers
;
```

❸
```
SELECT
    Address AS 住所
FROM
    Customers
;
```

❹
```
SELECT DISTINCT
    Address AS 住所
FROM
    Customers
;
```

このとき、SQLは下の図のような動作をします。

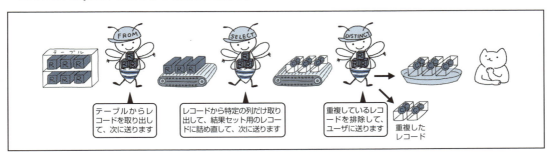

FROMがテーブルからレコードを取り出します。次に取り出されたレコードから必要な列の値を取り出します。最後に値が重複しているレコードを除外します。

実行結果

実行結果は次のようになるはずです。

住所
武蔵野市吉祥寺
江戸川区西小岩
大阪市中央区
札幌市南区
龍ケ崎市下町
取手市井野
松山市東山町
台東区浅草橋

選択リストには複数列の指定も可能です。集合関数なども使えます。また、WHERE句や後述する結合なども問題なく使えます。

 ドリルでマスター

書いてみよう

前述の書き順に沿って、重複したデータは除いて住所一覧を出すSQLを書いてみてください。

練習問題

いろいろなパターンで、値の重複を排除するSQL文を書いてみましょう。解答はA-08ページを参照してください。

第1問 テーブルEmployeesから重複を除いてHireFiscalYearを求めなさい。

```
SELECT DISTINCT
    [            ]
FROM
    [            ]
;
```

第2問 テーブルSalesから重複を除いてCustomerID、ProductIDを求めなさい。

```
SELECT [          ]
    [            ]
,   [            ]
FROM
    [            ]
;
```

第3問 テーブルCustomersから重複を除いて、CustomerClassID、PrefecturalIDを求めなさい。

```
[        ] [            ]
    [                    ]
,   [                    ]
    [            ]
    [                ]
;
```

第4問 テーブルSalesから重複を除いてCustomerID、ProductID、EmployeeIDを求めなさい。結果を第2問の結果と比較しなさい。

第5問 テーブルProductsから重複を除いてPrice、CategoryIDを求めなさい。

練習編

第3章

複数のテーブルを扱う

ここから先に進む前に！
結合とは 特別講義（1）

練習編

　ここから先は「複数のテーブルを扱う」内容に入っていきます。この辺から、SQL習得のハードルが急に高くなると感じる皆さんが増えてきます。複数のテーブルを扱う方法には、

　　（1）　結合
　　（2）　集合演算
　　（3）　副問い合わせ

の3つがあります。この中でもとりわけ重要なのが「結合」です。ここでは「結合とは」何か、ざっとおさらいしておきましょう。集合演算については後ほど（第3章その7の前）まとめておさらいします。副問い合わせについては、このあと第3章その1で説明しています。

● 結合はなぜ必要なの？
「システム設計」とか「ER」（Entity/Relationship）、「データの正規化」という言葉を耳にしたことがあるでしょうか。今はまだなくともそのうちに必ず聞かされる言葉だと思います。これらは本書の扱う範囲ではありませんのでその内容には言及しませんが、結合はこれらと密接な関係があります。
　システムは、正しい設計をすればするほど、データの正規化をすればするほど、互いに手を取り合えば何でもこなせる多くの小粒のテーブルで構成されるようになってきます。
　この「互いに手を取り合う」手段が結合なのです。したがって、実務でのSQLではそのほとんどが結合を伴うと考えてください。結合を使いたいがためにSQLを習得するのだと思ってください。

● 結合って何？
　結合とはその名のとおり、2つのテーブルをある条件で「くっつける」ことです。2つのテーブルをくっつけることを繰り返して、複数のテーブル同士を互いに手を取り合う状態にさせるのです。
　2つのテーブル（集合）を1つにくっつけるための理論的で唯一無二の（これしかない）方法が、結合です。テーブルが1つになってしまえば1つのテーブルに対する操作がそのまま応用できます。第2章で覚えた各種の技術・技法がそのまま生かされるわけです。
　結合という普遍的な理論と手段によって、SQLの活躍の場は飛躍的に広がります。

● 結合ってどういうふうにすること？
　では、2つのテーブル（集合）を1つにくっつける方法とは具体的にどうすることなのでしょうか。次ページの図のようにT1とT2の2つのテーブルで考えてみます。
　まず無条件に2つのテーブルを丸ごとくっつける「直積」という方法です。直積はテーブルの中に含まれる値が何であるかにかかわらず、T1のすべての行にT2のすべての行を組み合わせることで得られます。列はT1とT2を連結した形となり、行はT1の行数×T2の行数（T1とT2の総当たり）になります。
　結合は、2つのテーブルの列間の関係（図の例ではT1のCol3がT2の列1と等しいという関係）を指定し、その関係を満足させる2つのテーブルの行を連結して1つにします。図を見てもわかりますが、直積を求めた結果からWHERE句の条件で行を選択するのと同じ結果になります。
　少し複雑な結合の場合、直積をイメージしてそこから行を選択すると考えるとわかりやすくなります。

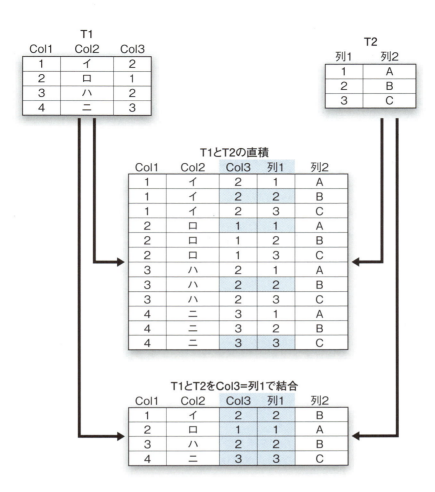

その1 副問い合わせを使う

PostgreSQL　MySQL　Oracle　SQL Server

問題 販売数量がゼロの商品を教えてくれ

ある日、あなたは上司に頼まれました。

「ひょっとして全然売れてない商品があるんじゃないか？ 今まで一度も販売されたことがない商品の一覧を出してくれ」

商品テーブルの名前はProductsです。今までの販売に関するデータは販売テーブルに入っています。販売テーブルの名前はSalesです。販売テーブルの中に、販売数量はQuantityという列があります。また、2つのテーブルにはProductIDがあります。さて、どのようにすればいいでしょうか。

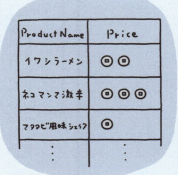

ポイント 副問い合わせを使います

副問い合わせ（サブクエリ）とは、中間結果を得るために、別のSQL文の中で使用するSELECT文です。WHERE句の条件として使ったり、選択リストの中や、FROM句の中でテーブルの代わりとして使う場合などがあります。ただしこれらは、使用しているRDBMSによって機能差があります。

解答

```
SELECT
  *
FROM
  Products
WHERE
  ProductID NOT IN
  (
    SELECT
      ProductID
    FROM
      Sales
  )
;
```

構文チェック 副問い合わせ

副問い合わせを使ったSQLの書き方は、基本的には通常のSELECT文と同じです。詳細はお使いのRDBMSごとにドキュメントをご覧ください。

書き順と考え方

まず、「SELECT」と「;」を書きます。

```
SELECT
;
```

どのテーブルから取り出すのかをFROM句で指定します。

```
SELECT
FROM
    テーブル名
;
```

次に、「WHERE」を書きます。

```
SELECT
FROM
    テーブル名
WHERE
;
```

そして、レコードを特定するための条件を書きます。

```
SELECT
FROM
    テーブル名
WHERE
    条件
;
```

次に、条件と照合する副問い合わせを書きます。このとき、わかりやすいようにカッコでくくってしまいます。なお、副問い合わせの書き順は普通のSQLと同じようにしてください。

最後に選択リストを書きます。

```
SELECT
    列名
FROM
    テーブル名
WHERE
    条件
    (
    副問い合わせ
    )
;
```

一度も販売されたことがない商品の一覧を出すSQLの書き順は、次のようになります。これまでに説明した項目部分の書き順は、適宜省略します。

❶ SELECT
  ;

❷ SELECT
  FROM
    Products
  ;

❸ SELECT
    *
  FROM
    Products
  WHERE
    ProductID NOT IN
  ;

❹ SELECT
    *
  FROM
    Products
  WHERE
    ProductID NOT IN
    (
)
  ;

❺ SELECT
    *
  FROM
    Products
  WHERE
    ProductID NOT IN
    (
      SELECT
)
  ;

❻ SELECT
    *
  FROM
    Products
  WHERE
    ProductID NOT IN
    (
      SELECT
      FROM
        Sales
)
  ;

❼ SELECT
    *
  FROM
    Products
  WHERE

```
  ProductID NOT IN
  (
    SELECT
      ProductID
    FROM
      Sales
  )
;
```

　なお、「NOT IN」は第2章その8で説明している比較演算子の1つで、「xがyの中のいずれでもない場合にTRUEを返す」（ここではxがProductID、副問い合わせの結果がy）というものです。

　SQLは、次の図のような動作をしています。

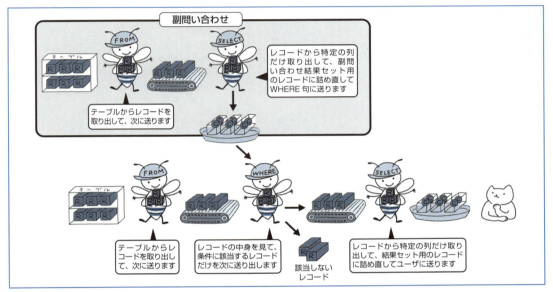

　メインの流れはこれまでのものと同じですが、WHERE句がレコードと比較するものが副問い合わせの結果セット内の各レコードであることに注意してください。

実行結果

　実際にやってみましょう。実行結果は次のようになるはずです。

ProductID	ProductCode	ProductName	Price	CategoryID
38	8038	骨	560	8
45	9045	フリスビー	450	9

ワンポイントレッスン

　WHERE句の中で使う副問い合わせは、普通のINで比較するときと同じ意味を持つと思えばしっくりきます。仮に、副問い合わせである、

```
SELECT
  ProductID
FROM
  Sales
;
```

の結果が、1、3、7の3件であれば、次のSELECT文と同じになります。

```
SELECT
  *
FROM
  Sales
WHERE
  ProductID NOT IN ( 1, 3, 7 )
;
```

副問い合わせには、他にもいろいろな形式があります。FROM句にテーブルの代わりとして使うこともできます。これは表式とも呼ばれます。

```
SELECT
  列名
FROM
  (
    副問い合わせ
  )
;
```

また、選択リストの中で副問い合わせを使うこともできます。

```
SELECT
  列名
  ,(
    副問い合わせ
  )
FROM
  テーブル名
;
```

選択リストの中で副問い合わせを使う場合や、WHERE句の条件が＝の場合では、副問い合わせの結果が1件でなければならないことに注意してください。もちろんこれら各種の副問い合わせを同時に使うこともできます。

ただし、いずれもRDBMSによってサポート状況が異なります。ドキュメントで確認してください。

ドリルでマスター

書いてみよう

前述の書き順に沿って、一度も販売されたことがない商品の一覧を出すSQLを書いてみてください。

練習問題

いろいろな条件で、副問い合わせを使ったSQL文を書いてみましょう。解答はA-09ページを参照してください。

第1問 テーブルEmployeesから各EmployeeIDについて、SalaryのAmountの最高が300,000以上のデータを取り出し、EmployeeID、EmployeeNameを表示しなさい。

```
SELECT
    [            ]
  , [                      ]
FROM
    [              ]
WHERE
    [            ] IN
    (
      SELECT
          [            ]
      FROM
          [            ]
      GROUP BY
          [            ]
```

```
        HAVING
            ┌──────────────────────────────┐
            │                              │ >= 300000
            └──────────────────────────────┘
        )
    ;
```

第2問 テーブルSalesのQuantityが100以上のレコードを取り出し、SaleID、Quantity、CustomerID、CustomerNameを表示しなさい。

```
    SELECT
        ┌──────────────────┐
        │                  │
        └──────────────────┘
        ,
        ┌──────────────────┐
        │                  │
        └──────────────────┘
        ,
        ┌──────────────────┐
        │                  │
        └──────────────────┘
        (
        ,
            ┌ ─ ─ ─ ─ ─ ─ ─ ─ ┐
            │                 │
            └ ─ ─ ─ ─ ─ ─ ─ ─ ┘
                ┌──────────────────────────────┐
                │                              │
                └──────────────────────────────┘
            ┌ ─ ─ ─ ─ ┐
            │        │
            └ ─ ─ ─ ─ ┘
                ┌──────────────────┐
                │                  │
                └──────────────────┘
            ┌ ─ ─ ─ ─ ─ ─ ─ ─ ┐
            │                 │
            └ ─ ─ ─ ─ ─ ─ ─ ─ ┘
                ┌──────────────────┐                    ┌──────────────────────┐
                │                  │        =           │                      │
                └──────────────────┘                    └──────────────────────┘
        ) AS 顧客名
    FROM
        ┌──────────────────┐
        │                  │
        └──────────────────┘
    WHERE
        ┌──────────────────┐
        │                  │ >= 100
        └──────────────────┘
    ;
```

第3問 テーブルProductsからSalesでQuantityの合計が100以上のレコードを取り出し、ProductID、ProductNameを表示しなさい。

```
    ┌ ─ ─ ─ ─ ─ ─ ─ ─ ┐
    │                 │
    └ ─ ─ ─ ─ ─ ─ ─ ─ ┘
        ┌──────────────────┐
        │                  │
        └──────────────────┘
        ,
        ┌──────────────────────────┐
        │                          │
        └──────────────────────────┘
        ,
    ┌ ─ ─ ─ ─ ─ ─ ─ ┐
    │               │
    └ ─ ─ ─ ─ ─ ─ ─ ┘
```

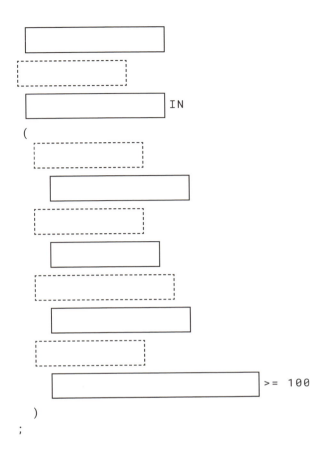

第4問 第1問でAmountの最高額（別名は「最高給与額」）も表示するよう変更しなさい。

練習編

第5問 第2問で商品名も表示するよう変更しなさい。

ここから先に進む前に！
PostgreSQL　MySQL　Oracle　SQL Server

テーブルに別名をつける 特別講義(2)

　これ以降、複数テーブルの扱いを見ていく前に、単純ですがしかし重要な、テーブル名による修飾について知っておきましょう。

　複数のテーブルを同時に扱う場合に、同じ列名などがあると、RDBMSがうまく解釈できずに混乱してしまいます。たとえば、CustomerIDという列名はCustomersテーブルにもSalesテーブルにもあります。そこで、混乱を回避するために列名をテーブル名で修飾します。形式は、

```
テーブル名.列名
```

となります。たとえば、

```
Customers.CustomerID
```

というふうになります。もちろん単一のテーブルしか使用しない場合でも同様にテーブル名で修飾することができます。

```
SELECT
  Employees.EmployeeID
, Employees.EmployeeName
FROM
  Employees
;
```

別名と組み合わせることもできます。

```
SELECT
  Employees.EmployeeID AS 社員番号
, Employees.EmployeeName AS 社員名
FROM
  Employees
;
```

　テーブル名自体に別名をつけることもできます。この別名を使って列名を修飾することが可能です。テーブル名の別名はAS句を使います。RDBMSによってはAS句を使えないために、間に空白を置くだけで別名として扱うものもあります。詳しくはダウンロード提供の付属PDFの「SQL書き方ドリルリファレンス」を参照してください。

```
SELECT
  e.EmployeeID
, e.EmployeeName
FROM
  Employees AS e
;
```

というふうになります。もちろんこの場合でも、列への別名と組み合わせることもできます。

```
SELECT
  e.EmployeeID AS 社員番号
, e.EmployeeName AS 社員名
FROM
  Employees AS e
;
```

　複数テーブルが混在する場合には、たとえ同じ名前の列を持たないテーブル同士であっても、このテーブル名による修飾は必須だと考えましょう。その理由は、RDBMSの内部動作の負担を軽減させるためです。

　「SELECT * FROM t1」というSELECT文があったときに、これを受け取って実行するRDBMSの側としては、内部的にはまず「t1」というテーブルがあるのかないのかを調べなければなりません。これはRDBMSが自動的に行うのですが、通常はデータディクショナリまたはシステムカタログとかカタログテーブルなどと呼ばれるところに、どんなテーブルが実際に存在しているのかという情報がありますので、これを検索することになります。そして「t1」というテーブルが存在することが確認できれば、次に列の存在チェックを行うことになります。「*」の場合は、まずそのテーブルが持っている列を全部取得してから、各列をチェックします。このような過程を経て、ようやく筋の通ったSELECT文であることが確定します。このときにテーブル名で修飾されていない列名が本当に正しいかどうかを確認するには、FROM句で指定されているテーブルすべてについて調べる必要があります。テーブル名で修飾されていれば少なくとも1つのテーブルについて調べるだけで済むため、実際の検索処理に先んじて行われるこれらの検証処理を多少なりとも軽減することができます。テーブル名による列名の修飾はできるだけ癖にしてしまうようにしましょう。

その2 複数テーブルの結合を行う(1)

PostgreSQL　MySQL　Oracle　SQL Server

問題

再び都道府県別の顧客数を教えてくれ

ある日、あなたは上司に頼まれました。

「都道府県別に、それぞれ何人ずつ顧客がいるのか教えてくれ。そうそう、この前のは都道府県の名前が出てなかったぞ。IDだけじゃわからないのでちゃんと表示してくれ」

顧客テーブルの名前はCustomersです。顧客テーブルの中に、都道府県はPrefecturalIDという列があります。都道府県テーブルの名前はPrefecturalsです。都道府県テーブルの中に、名前がPrefecturalNameという列があります。さて、どのようにすればいいでしょうか。

ポイント　結合を行います

結合とは、複数のテーブル同士をある列の値に基づいて、1つの結果にまとめていくことです。JOINとも呼ばれます。結合の仕方には、次のような複数の方法があります。

・JOIN句を使う
・WHERE句を使う

解答

```
SELECT
  Customers.PrefecturalID
, Prefecturals.PrefecturalName AS 都道府県名
, COUNT(*) AS 顧客数
FROM
  Customers
    JOIN
  Prefecturals
    ON Customers.PrefecturalID = Prefecturals.PrefecturalID
GROUP BY
  Customers.PrefecturalID
, Prefecturals.PrefecturalName
;
```

🐾 構文チェック 🐾 JOIN句による結合

JOIN句による結合を行うSQL構文は次のようになります。

```
SELECT
    列名
FROM
    主体テーブル名
        JOIN
    結合するテーブル名
        ON  結合条件
```

書き順と考え方

まず、「SELECT」と「;」を書きます。

```
SELECT
;
```

次にどのテーブルを主体として取り出すのかをFROM句で指定します。

```
SELECT
FROM
    主体テーブル名
;
```

さらに結合する相手のテーブル名を指定します。

```
SELECT
FROM
    主体テーブル名
        JOIN
    結合するテーブル名
;
```

結合条件を指定します。

```
SELECT
FROM
    主体テーブル名
        JOIN
    結合するテーブル名
        ON  結合条件
;
```

今回はグループ化も含まれているので、まず先に何によってグループ化するのかを指定します。グループ化する列名は主体テーブルの列名でも結合するテーブルの列名でも構いません。

```
SELECT
FROM
    主体テーブル名
```

```
      JOIN
      結合するテーブル名
         ON  結合条件
GROUP BY
      グループ化列名
;
```

グループ化する列名を選択リストに入れておきます。

```
SELECT
      グループ化列名
FROM
      主体テーブル名
         JOIN
      結合するテーブル名
         ON  結合条件
GROUP BY
      グループ化列名
;
```

最後に、グループごとに行う集合関数を指定します。

```
SELECT
      グループ化列名
    , 関数名(  列名  )
FROM
      主体テーブル名
         JOIN
      結合するテーブル名
         ON  結合条件
GROUP BY
      グループ化列名
;
```

都道府県名を表示させて都道府県別の顧客数を出すSQLの書き順は、次のようになります。

❶ `SELECT`
   `;`

❷ `SELECT`
   `FROM`
   `    Customers`
   `;`

❸ `SELECT`
   `FROM`
   `    Customers`
   `       JOIN`
   `    Prefecturals`
   `;`

❹ `SELECT`

```
    FROM
      Customers
        JOIN
      Prefecturals
        ON Customers.PrefecturalID = Prefecturals.PrefecturalID
    ;
```

❺ ```
  SELECT
  FROM
    Customers
      JOIN
    Prefecturals
      ON Customers.PrefecturalID = Prefecturals.PrefecturalID
  GROUP BY
    Customers.PrefecturalID
  , Prefecturals.PrefecturalName
  ;
```

❻ ```
  SELECT
    Customers.PrefecturalID
  , Prefecturals.PrefecturalName AS 都道府県名
  FROM
    Customers
      JOIN
    Prefecturals
      ON Customers.PrefecturalID = Prefecturals.PrefecturalID
  GROUP BY
    Customers.PrefecturalID
  , Prefecturals.PrefecturalName
  ;
```

❼ ```
  SELECT
    Customers.PrefecturalID
  , Prefecturals.PrefecturalName AS 都道府県名
  , COUNT(*) AS 顧客数
  FROM
    Customers
      JOIN
    Prefecturals
      ON Customers.PrefecturalID = Prefecturals.PrefecturalID
  GROUP BY
    Customers.PrefecturalID
  , Prefecturals.PrefecturalName
  ;
```

このとき、SQLは次ページの図のような動作をします。
```

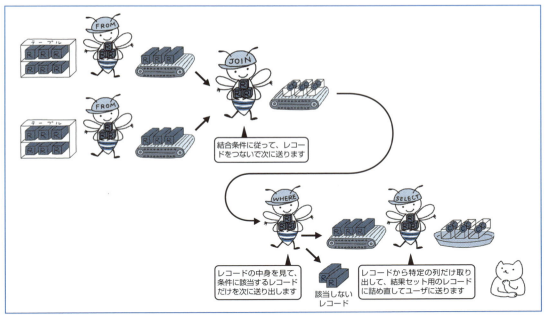

複数のテーブルから取り出したレコードが結合されて、その結果、WHERE句以降は1つのテーブルからレコードを取り出したように見えることに注目してください。

●注意

今回の練習問題では、最後にグループ化の際に選択リストに指定可能な列に関する制限のために、GROUP BY句に列名を追加しました。もしこれを回避したければ、次のように書くことも可能です。GROUP BYに関する復習をしてください。

```
SELECT
  Customers.PrefecturalID
, MAX( Prefecturals.PrefecturalName ) AS 都道府県名
, COUNT(*) AS 顧客数
FROM
  Customers
    JOIN
  Prefecturals
    ON Customers.PrefecturalID = Prefecturals.PrefecturalID
GROUP BY
  Customers.PrefecturalID
;
```

実行結果

実際にやってみましょう。実行結果は次のようになるはずです。

PrefecturalID	都道府県名	顧客数
27	大阪府	1
1	北海道	1
11	埼玉県	2
13	東京都	19
38	愛媛県	1
10	群馬県	1
14	神奈川県	2
8	茨城県	3

ワンポイントレッスン

主体となるテーブルまたは結合する相手のテーブルに絞り込みの条件をつける場合は、WHERE句に指定します。

たとえば次のように指定します。

```
SELECT
  Customers.PrefecturalID
, MAX( Prefecturals.PrefecturalName ) AS 都道府県名
, COUNT(*) AS 顧客数
FROM
  Customers
    JOIN
  Prefecturals
    ON Customers.PrefecturalID = Prefecturals.PrefecturalID
WHERE
  Customers.CustomerClassID = 1
GROUP BY
  Customers.PrefecturalID
;
```

また、

・2つのテーブルのうち、どちらが主体となるテーブルになるか
・結合するときに絞り込みが行われるか、結合後にふるい落とされるか

は、結合の条件とどのようなインデックス（本書では扱いません）が使えるかによって変わってきます。

● WHERE 句を使う場合

WHERE句を使う場合は、まず主体となるテーブルをFROM句で指定します。今回はグループ化も含まれているのでグループ化列名と集合関数も指定します。

```
SELECT
  Customers.PrefecturalID
, COUNT(*) AS 顧客数
FROM
  Customers
GROUP BY
  Customers.PrefecturalID
;
```

これに、結合するテーブルに関する部分を追加していきます。結合条件の指定にはWHERE句を使います。

```
SELECT
  Customers.PrefecturalID
, Prefecturals.PrefecturalName AS 都道府県名
, COUNT(*) AS 顧客数
FROM
  Customers
, Prefecturals
WHERE
  Customers.PrefecturalID = Prefecturals.PrefecturalID
```

```
GROUP BY
    Customers.PrefecturalID
,   Prefecturals.PrefecturalName
;
```

ドリルでマスター

書いてみよう

前述の書き順に沿って、都道府県名を表示させて都道府県別の顧客数を出すSQLを書いてみてください。

練習問題

いろいろな条件で、JOIN句またはWHERE句で結合を行うSQL文を書いてみましょう。解答はA-10ページを参照してください。

第1問 テーブルSalaryとEmployeesを結合してEmployeeName、PayDate、AmountをEmployeeID昇順で表示しなさい。

```
SELECT
    [                    ]
,   [                    ]
,   [                    ]
```

```
        FROM
             [            ]      AS A
             JOIN
           [              ]      AS B
             ON  [          ]  =  [            ]
        ORDER BY
           [              ]
        ;
```

第2問 テーブルSales、Customers、Employees、Productsを結合して、Sales.Quantityが200以上のデータについてQuantity、CustomerName、ProductName、EmployeeNameを表示しなさい。

```
        SELECT
             [            ]
           , [              ]
           , [              ]
           , [              ]
        FROM
             [            ]      AS A
             JOIN
           [              ]      AS B
             ON  [          ]  [    ]  [            ]
             JOIN
           [              ]      AS C
             ON  [          ]  [    ]  [            ]
             JOIN
           [              ]      AS D
             ON  [          ]  [    ]  [            ]
        WHERE
             [            ]  >= 200
        ;
```

第3問 テーブル Sales と Products を結合し、Sales を ProductID でグループ化、Quantity の合計が 300 以上のデータについて Quantity 合計、ProductID、ProductName を表示しなさい。JOIN を使用すること。

```
┌─────────────┐
└─────────────┘
    ┌─────────────────────────┐
    └─────────────────────────┘
    ┌─────────────────────────┐
    └─────────────────────────┘
,
    ┌─────────────────────────┐                AS 数量合計
    └─────────────────────────┘
,
    ┌─────────────────┐
    └─────────────────┘
        ┌─────────────────┐                AS A
        └─────────────────┘
    ┌─────────────┐
    └─────────────┘
        ┌─────────────────────┐            AS B
        └─────────────────────┘
    ┌─────┐ ┌─────────────────────────────┐ ┌─────┐
    └─────┘ └─────────────────────────────┘ └─────┘
                            ┌───────────────────────────────┐
                            └───────────────────────────────┘
┌─────────────────┐
└─────────────────┘
    ┌─────────────────────────┐
    └─────────────────────────┘
,
    ┌─────────────────┐
    └─────────────────┘
    ┌─────────────────────────────────┐ >= 300
    └─────────────────────────────────┘
;
```

第4問 第2問をJOINを用いずに書きなさい。

練習編

第5問 テーブルCustomers、Prefecturals、CustomerClassesをWHERE句を使って結合し、PrefecuturalID昇順で並べ、CustomerName、PrefecturalName、CustomerClassNameを表示しなさい。

その3　複数テーブルの結合を行う（2）

`PostgreSQL` `MySQL` `Oracle` `SQL Server`

問題

部門別の平均給与額を教えてくれ

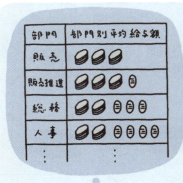

ある日、あなたは上司に頼まれました。

「部門別の平均給与額を一覧で出してくれ。ちゃんと部門名を入れてくれよ」

部門テーブルの名前はDepartmentsです。部門テーブルの中に、部門名がDepartmentNameという列で存在します。一方、給与テーブルの名前はSalaryです。給与テーブルの中に、EmployeeIDとAmount（金額）という列があります。部門と社員の組み合わせは所属テーブルに格納されています。所属テーブルの名前はBelongToです。さて、どのようにすればいいでしょうか。

ポイント 結合とグループ化を組み合わせます

解答

```sql
SELECT
   d.DepartmentName AS 部門名
, AVG( s.Amount ) AS 部門別平均給与額
FROM
   Salary AS s
      JOIN
   BelongTo AS b
      ON s.EmployeeID = b.EmployeeID
         JOIN
      Departments AS d
         ON b.DepartmentID = d.DepartmentID
GROUP BY
   d.DepartmentName
;
```

🐾 構文チェック 🐾　結合とグループ化の組み合わせ

結合は前節（その2）、グループ化は第2章その11で学んでいますので、確認してください。

書き順と考え方

結合に関する考え方と書き方は前の節（その2）と同じなので、省略します。
ここではSQLは下の図のような動作をしています。

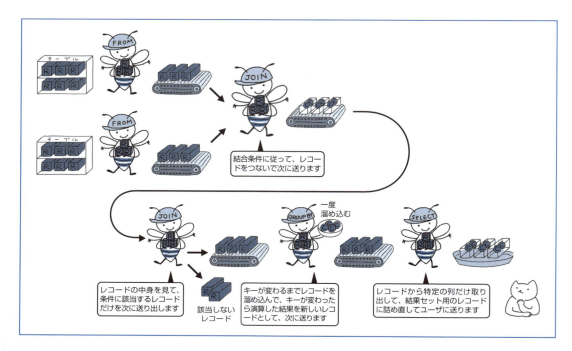

基本的な流れは前節と同じです。

今回の問題で重要なポイントは、主体となるテーブルがSalaryであるということです。そしてこれに対して、飾り付けるためのテーブルがDepartmentsということになります。しかし、この2つのテーブルはお互いを結合させるためのキーとなる列がありません。この両者を組み合わせる情報を持っているのはBelongToテーブルです。ですから、つなぎとしてBelongToテーブルを使っています。

ここで気が付くのは、Employeesテーブルを参照していないということです。よくやる間違いとしてリレーションシップのつながっているテーブルを片っ端から結合してしまうということがあります。今回の例も、次のように書いてしまう方もいるかもしれません。

```
SELECT
   d.DepartmentName AS 部門名
, AVG( s.Amount ) AS 部門別平均給与額
FROM
   Salary AS s
     JOIN
   BelongTo AS b
     ON s.EmployeeID  = b.EmployeeID
       JOIN
     Departments AS d
       ON b.DepartmentID = d.DepartmentID
         JOIN
       Employees AS e
```

```
          ON b.EmployeeID  = e.EmployeeID
GROUP BY
    d.DepartmentName
;
```

しかし、よく見るとEmployeesテーブルの中身は一切使われていないことがわかります。ということは、これは性能を考えると不利になるというだけでなく、期待しない結果が返ってくる可能性があるということです。どういうことかというと、Employeesテーブルに入っているレコードの数だけ、余分にレコード同士の組み合わせが発生するからです。

結合を使ったとき、SELECT文は正しいように思えるのになぜか期待したものとは異なる結果が返ってくるという場合には、余計なテーブルを結合していないかを確認してください。

■ 実行結果

では実際にやってみましょう。実行結果は次のようになるはずです。

部門名	部門別平均給与額
販売	254549.35622317596566523605150215021
総務	366944.4444444444444444444444
経理	361250
購買	363333.3333333333333333333333
営業	328333.3333333333333333333333
人事	308333.3333333333333333333333

🐾 ワンポイントレッスン 🐾

数多くのテーブルを結合するケース（正規化されているデータベース設計の場合、特に生じます）がありますが、結合はあくまでも2つのテーブルの間で行われるということを覚えておいてください。したがって、3つのテーブルを結合する場合は、まず3つのうちのどれか2つを結合し、その結果と残りの1つのテーブルを結合します。結合に順序をつけたければ括弧を使ってコントロールできます。

たとえば、次の例はSales、Products、CustomersとEmployeesを結合しますが、先にSalesとProductsを結合することを明確に指示しています。その結合結果にCustomersとEmployeesを順次結合します。

```
SELECT
    p.ProductCode
,   p.ProductName
,   c.CustomerName
,   e.EmployeeName
,   s.Quantity
,   s.SaleDate
FROM
    (
    Sales AS s
      JOIN
    Products AS p
      ON s.ProductID = p.ProductID
    )
      JOIN
    Customers AS c
      ON s.CustomerID = c.CustomerID
```

```
        JOIN
      Employees AS e
        ON s.EmployeeID = e.EmployeeID
WHERE
   s.SaleDate BETWEEN '2007-06-01' AND '2007-06-30'
;
```

括弧内のSQL文の結果の中間表のことを結合表と呼びます。結合表には別名がつけられませんので注意してください。また、結合表の部分を表式（第3章その1「副問い合わせを使う」＝130ページを参照のこと）にすることもできます。場合によっては、この表式をビュー（仮想表。コラム「名前付きSELECT文としてのビュー」＝158ページ参照）にしてしまうのもよいでしょう。いずれにしても、どのテーブルが主体なのかをしっかりと意識してSQLを書いてください。

ドリルでマスター

書いてみよう

前述の書き順に沿って、部門別の平均給与額一覧を出すSQLを書いてみてください。

練習問題

いろいろな条件で、結合とグループ化を組み合わせたSQL文を書いてみましょう。解答はA-10ページを参照してください。

第1問 テーブルSales、Products、Categoriesを連結し、SalesをCategoryIDでグループ化、CategoryID、CategoryName、Quantityの合計を表示しなさい。

```
SELECT
    [                        ]
    ,[                       ] AS カテゴリ名
    ,[                       ] AS 数量合計
 FROM
    [              ] AS A
      JOIN
        [              ] AS B
      ON [              ] = [              ]
      JOIN
        [              ] AS C
      ON [              ] = [              ]
 GROUP BY
    [                       ]
;
```

第2問 テーブルSales、Customers、Prefecturalsを結合し、PrefecturalIDでグループ化、Quantityの合計、PrefecturalID、PrefecturalNameを表示しなさい。

```
SELECT
    [                       ] AS 合計数量
    ,[                      ]
    ,[                      ] AS 県名
 FROM
    [              ] AS A
      JOIN
        [              ] AS B
      ON [              ] [   ] [              ]
      JOIN
        [              ] AS C
```

```
        ON  [                    ]  [    ]  [                    ]
        GROUP BY
            [                        ]
        ;
```

第3問 テーブルSales、Customers、CustomerClassesを結合し、CustomerClassIDでグループ化、Quantityの最大値、CustomerClassID、CustomerClassNameを表示しなさい。

```
    [            ]
        [                        ]  AS  最大数量
        [                        ]
    ,
        [                            ]  AS  顧客クラス名
    [            ]
        [            ]  AS  A
      [            ]
        [                ]  AS  B
          [    ]  [            ]  [    ]  [            ]
        [            ]
        [                    ]  AS  C
          [    ]  [            ]  [    ]  [            ]
        [            ]
            [                ]
        ;
```

第4問 第2問をJOINを用いずに書きなさい。

第5問 第3問をJOINを用いずに書きなさい。

名前付きSELECT文としてのビュー

　テーブルは通常データベース設計にもとづき「正規化」された形で作成されています。しかし、ユーザから見ると必ずしもそのような形のデータを使いたいわけではありません。また、データベース管理者や設計者も、テーブルをそのままユーザに使わせるにはセキュリティの面などからあまり好ましいとはいえない場合もあります。そこで、こうした要求を満たすために用いられるのが「ビュー」です。ビューとは一種のフィルターのようなものです。テーブルを実表と呼ぶのに対して、仮想表とも呼ばれます。ビューの実体は名前付きの事前定義されたSELECT文と考えてもいいでしょう。テーブルの列を限定して見せたり、条件にあてはまる行だけを見せたり、またテーブル同士を結合するなどしてデータを加工して見せたりします。必ず結合を行うようなテーブル同士であれば、ビューを使っておくとわかりやすくなります。

　たとえば、次の例のように部門別の平均給与を表示するビューを作成したとします。ビューの作成にはCREATE VIEW文を使用します。詳細はお使いのRDBMSのマニュアルをご確認ください。

```
CREATE VIEW AvgSalaryByDept
  ( DepartmentName
  , AvgAmount
  )
AS
SELECT
  d.DepartmentName AS 部門名
, AVG( s.Amount ) AS 部門別平均給与額
FROM
  Salary AS s
    JOIN
  BelongTo AS b
    ON s.EmployeeID  = b.EmployeeID
      JOIN
    Departments AS d
      ON b.DepartmentID = d.DepartmentID
GROUP BY
  d.DepartmentName
;
```

　こうしておけば、販売部門の平均給与額を得る場合も次のように簡単に書くだけで済みます。
　SELECT文のスキルが付けば付くほど、ビューは非常に便利な道具となります。いろいろとチャレンジしてみてください（RDBMSによってはビューに未対応のものもあります）。

```
SELECT
  *
FROM
  AvgSalaryByDept
WHERE
  DepartmentName = '販売'
```

その4 外部結合を使う

`PostgreSQL` `MySQL` `Oracle` `SQL Server`

問題

全部の商品の平均販売単価を教えてくれ

ある日、あなたは上司に頼まれました。

「金額ベースで全部の売上についての平均を知りたいな。全部の商品の平均販売単価を一覧で出してくれ」

商品テーブルの名前は Products です。今までの販売に関するデータは販売テーブルに入っています。販売テーブルの名前は Sales です。販売テーブルの中に、販売数量は Quantity という列があります。これと Products テーブルの Price 列を掛け合わせると金額になります。さて、どのようにすればいいでしょうか。

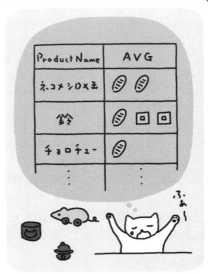

ポイント 外部結合を使います

結合処理は、普通に指定した場合では両方のテーブルの結合条件の列に値の入っているレコード同士しか結合しません。そのため片方にしか値が入っていない場合は相手が見つからないために、検索結果から除外されてしまいます。こういうときに使用するのが外部結合です。外部結合は OUTER JOIN とも呼びます。外部結合に対して、前節までで説明した普通の結合処理は内部結合あるいは INNER JOIN と呼びます。なお、結合相手がない場合、本来値が入るはずの列には NULL がセットされます。演算に利用する場合は注意が必要です。

解答

```
SELECT
  p.ProductName
, AVG( p.Price *
       CASE
         WHEN s.Quantity IS NULL THEN 0
         ELSE s.Quantity
       END
     ) AS 平均販売価格
FROM
  Products AS p
    LEFT OUTER JOIN
  Sales AS s
    ON s.ProductID = p.ProductID
GROUP BY
  p.ProductName
;
```

🐾 構文チェック 🐾 外部結合

まずは外部結合を使うSQL構文を確認しましょう。

```
テーブル名
LEFT OUTER JOIN
テーブル名
```

のようになります。

書き順と考え方

基本的な考え方は普通の結合処理とまったく同じです。今回の主役は「全部の商品」となっているので、Productsテーブルになります。ある商品の販売がSalesテーブルに入っていなくても「平均がゼロ」という結果を返さなければならないためです。

また、NULLが返却されてきた場合に演算結果がおかしくならないように、NULLの場合はゼロとして計算するようにしています。今回はCASEを使っていますが、RDBMSによっては、DECODE、COALESCE、IFNULLなどの列の値を判定して条件に合致すれば特定の値を返す関数を使っても良いでしょう。

全部の商品の平均販売単価を一覧で出すSQLの書き順は、次のようになります。

```
❶ SELECT
  ;
❷ SELECT
  FROM
    Products AS p
  ;
❸ SELECT
  FROM
    Products AS p
      LEFT OUTER JOIN
    Sales AS s
  ;
❹ SELECT
  FROM
    Products AS p
      LEFT OUTER JOIN
    Sales AS s
      ON s.ProductID = p.ProductID
  ;
❺ SELECT
  FROM
    Products AS p
      LEFT OUTER JOIN
    Sales AS s
      ON s.ProductID = p.ProductID
  GROUP BY
    p.ProductName
  ;
```

❻ ```
SELECT
   p.ProductName
FROM
   Products AS p
      LEFT OUTER JOIN
   Sales AS s
      ON s.ProductID = p.ProductID
GROUP BY
   p.ProductName
;
```
❼ ```
SELECT
   p.ProductName
   , AVG( p.Price *
         CASE
            WHEN s.Quantity IS NULL THEN 0
            ELSE s.Quantity
         END
      ) AS 平均販売価格
FROM
   Products AS p
      LEFT OUTER JOIN
   Sales AS s
      ON s.ProductID = p.ProductID
GROUP BY
   p.ProductName
;
```

このとき、SQLは下の図のような動作をします。

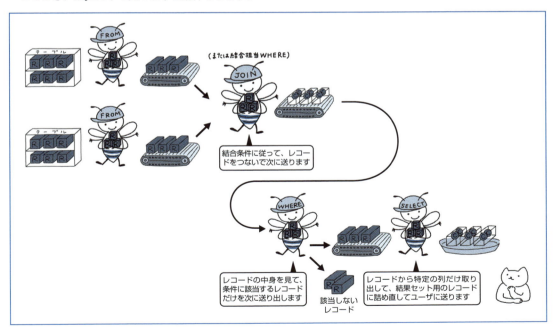

基本的な流れは通常の結合処理と同様です。

実行結果

実際にやってみましょう。実行結果は次のようになるはずです。

ProductName	平均販売価格
こねずみジャーキー	1014.5454545454545454545454545
ネコジャラシ	17400
チューチュークッキー	6346.1538461538461538461538462
ねこマンマ	685.71428571428571428571428571
またたび煙草	2938.4615384615384615384615385
蜘蛛肉	807.83783783783783783783783783
とり肉	228.57142857142857142857142857

ワンポイントレッスン

基本的に外部結合はJOIN句で表現されますが、Oracleなどー部のRDBMSでは次のようにWHERE句で(+)という表現を使うことで外部結合を実現できるものもあります。ただし、これはお薦めしません。複雑な外部結合になるとこの方法では正しく指示できなきなくなるからです。今のうちにJOIN句を使った外部結合の書き方に慣れるようにしてください。

```
SELECT
  p.ProductName
, AVG( p.Price *
    CASE
      WHEN s.Quantity IS NULL THEN 0
      ELSE s.Quantity
    END
  )
FROM
  Products AS p
, Sales AS s
WHERE
  p.ProductID = s.ProductID(+)
GROUP BY
  p.ProductName
;
```

RDBMSによっては、LEFT OUTER JOINだけでなく、RIGHT OUTER JOINも使えます。LEFTとRIGHTは主体となる表がJOIN句の左右どちらかを指定するものです。しかし、両方を混ぜて使用しているととっさにどちらが主体なのか混乱しがちなので、できるだけ使うものは統一しておくほうがいいでしょう。

ドリルでマスター

書いてみよう

前述の書き順に沿って、全部の商品の平均販売単価を一覧で出すSQLを書いてみてください。

練習問題

いろいろな条件で、外部結合を使ったSQL文を書いてみましょう。解答はA-11ページを参照してください。

第1問 テーブルCustomers、Salesを外部結合してCustomerIDごとのQuantity合計を求めてCustomerNameと合計を表示しなさい。ただしSalesデータが存在しないCustomerIDの合計は0を表示しなさい。

```
SELECT
    ☐
, SUM (
        CASE
            WHEN  ☐  IS NULL THEN 0
            ELSE  ☐
```

```
              END
            )  AS  販売数量合計
       FROM
            [                    ]  AS  A
       LEFT OUTER JOIN
            [                    ]  AS  B
          ON  [                        ]  =  [                        ]
       GROUP BY
            [                            ]
       ;
```

第2問 テーブルEmployees、Salesを外部結合し、EmployeeIDごとのSalesレコード数を求めてEmployeeID、社員名と販売件数を表示しなさい。ただし、Salesデータが存在しない場合は0を表示しなさい。

```
       SELECT
            [                            ]
          , MAX [                                ]  AS  社員名
          , SUM(
                  CASE
                    WHEN  [                                ]  IS NULL THEN 0
                    ELSE 1
                  END
               )  AS  販売件数
       FROM
            [                    ]  AS  A
       LEFT OUTER JOIN
            [              ]  AS  B
          ON  [                        ]  [        ]  [                ]
       GROUP BY
            [                        ]
       ;
```

第3問 テーブルPrefecturals、Customersを外部結合し、PrefecturalIDごとのCustomersレコード数を求め、PrefecturalNameとレコード数を表示しなさい。ただしCustomersデータが存在しない場合は0を表示しなさい。

[   ]

) AS 顧客数

AS A

AS B

;

第4問 テーブルEmployees、Salesを使った副問い合わせを外部結合し、EmployeeIDごとの販売件数を求めなさい。

第5問 テーブルEmployees、SalaryからEmplyeeごとの'2007-02-25'支給のAmountを求めて、EmployeeName、Amount（別名は「支給額」）を表示しなさい。Amountデータが存在しない場合は0を表示しなさい。

その5 自己結合を使う

`PostgreSQL` `MySQL` `Oracle` `SQL Server`

問題 セット商品の候補を考えてくれ

ある日、あなたは上司に頼まれました。

「違うカテゴリーのものを組み合わせて、セット商品にすることを考えている。ついては、カテゴリーの違う商品同士で合計価格が2500円以上になる組み合わせの一覧を出してくれ」

商品テーブルの名前はProductsです。商品テーブルの中に、価格はPriceという列が、カテゴリーはCategoryIDという列があります。さて、どのようにすればいいでしょうか。

ポイント 自己結合を使います

テーブル名に別名を付与できることを応用して、1つのテーブルをあたかも複数あるかのように扱うことができます。この同一のテーブルを複数のものとして扱って、お互いに結合させることを自己結合あるいはSELF JOINと呼びます。

解答

```sql
SELECT
   p1.ProductName AS 商品名1
 , p2.ProductName AS 商品名2
 , ( p1.Price + p2.Price ) AS セット価格
FROM
   Products AS p1
     JOIN
   Products AS p2
     ON p1.ProductID < p2.ProductID
     AND p1.CategoryID <> p2.CategoryID
WHERE
   ( p1.Price + p2.Price ) > 2500
;
```

構文チェック 自己結合

通常の結合処理と同様です。

書き順と考え方

別々のテーブルを結合する場合とまったく同じです。別名をつけるのを忘れないでください。
　カテゴリーの違う商品同士で合計価格が2500円以上になる組み合わせの一覧を出すSQLの書き順は、次のようになります。

❶
```sql
SELECT
;
```

❷
```sql
SELECT
FROM
  Products AS p1
;
```

❸
```sql
SELECT
FROM
  Products AS p1
  JOIN
  Products AS p2
    ON p1.ProductID < p2.ProductID
    AND p1.CategoryID <> p2.CategoryID
;
```

❹
```sql
SELECT
FROM
  Products AS p1
  JOIN
  Products AS p2
    ON p1.ProductID < p2.ProductID
    AND p1.CategoryID <> p2.CategoryID
WHERE
  ( p1.Price + p2.Price ) > 2500
;
```

❺
```sql
SELECT
  p1.ProductName AS 商品名1
, p2.ProductName AS 商品名2
, ( p1.Price  + p2.Price ) AS セット価格
FROM
  Products AS p1
    JOIN
  Products AS p2
    ON p1.ProductID < p2.ProductID
    AND p1.CategoryID <> p2.CategoryID
WHERE
  ( p1.Price + p2.Price ) > 2500
;
```

このとき、SQLは下の図のような動作をします。

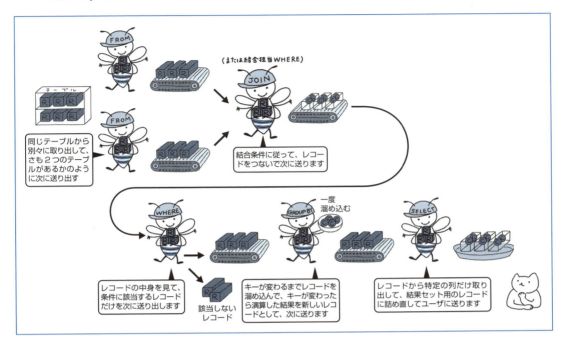

基本的な流れは結合処理と同じです。1つのテーブルを2つあるかのように扱っているところに注目してください。

実行結果

実際にやってみましょう。実行結果は次のようになるはずです。

商品名1	商品名2	セット価格
まぐろ	上り棒	3700
金魚	上り棒	3235
ぶり	上り棒	3550
あじ	上り棒	3400
あなご	上り棒	3350
ねずみ肉	上り棒	3320
とり肉	上り棒	3400
豚肉	上り棒	3500

ワンポイントレッスン

結合条件に不等号（＜）を使っていますが、これは1度出現したレコードを2度と出さないためです。もしここを否定演算子（＜＞）にすると、同じ組み合わせが入れ替わって再び現れます。実際に確かめてみてください。

自己結合は、別名をつけるだけで自由に切り分けて使えるので非常に便利なのですが、同じテーブルを何度もスキャンすることになるので、あまり多くの自己結合を同時に実行するとパフォーマンスが低下する場合もあります。使いすぎにはご注意ください。

ドリルでマスター

■ 書いてみよう

前述の書き順に沿って、カテゴリーの違う商品同士で合計価格が2500円以上になる組み合わせの一覧を出すSQLを書いてみてください。

■ 練習問題

いろいろな条件で、自己結合を使ったSQL文を書いてみましょう。解答はA-12ページを参照してください。

第1問 同じカテゴリーの商品同士を組み合わせて、商品名をそれぞれ表示しなさい。

```
SELECT
    _____ AS 商品名1
  , _____ AS 商品名2
FROM
    _____ AS p1
    JOIN
    _____ AS p2
    ON _____ < _____
```

AND　[　　　　　　　　　]　=　[　　　　　　　　　]
;

第2問 同じ都道府県の顧客同士で、かつ同じ CustomerClassID を持つ顧客同士を組み合わせて、顧客名をそれぞれ表示しなさい。

SELECT
　[　　　　　　　　　]　AS　顧客名1
,　[　　　　　　　　　]　AS　顧客名2
FROM
　[　　　　　　　]　AS　c1
　JOIN
　[　　　　　　　]　AS　c2
　ON　[　　　　　　　　]　<　[　　　　　　　　　]
　AND　[　　　　　　　　]　=　[　　　　　　　　　]
　AND　[　　　　　　　　]　=　[　　　　　　　　　]
;

第3問 従業員同士で、かつ年齢が自分よりも年上（つまり自分よりも Birthday の値が小さい）人との組み合わせを表示しなさい。

[　　　　　]
　[　　　　　　　　　　]　AS　従業員名1
,　[　　　　　　　　　　]　AS　従業員名2
[　　　　　]
　[　　　　　　]　[　　]　[　　]
　　[　　　　　]
　[　　　　　　]　[　　]　[　　]
　[　　　]　[　　　　　　　]　>　[　　　　　　　　]
;

第4問 カテゴリー同士を組み合わせて、カテゴリー名をそれぞれ表示しなさい（別名は「カテゴリー1」「カテゴリー2」）。

第5問 第2問に対して、PrefecturalID が 13 以外のものだけに絞り込んでください。

その6 相関副問い合わせを使う

`PostgreSQL HTML参照` `MySQL` `Oracle` `SQL Server HTML参照`

問題

商品別の平均販売数量よりも多く売れている日を教えてくれ

ある日、あなたは上司に頼まれました。

「商品ごとの販売数量の平均を上回った日を一覧で出してくれ。商品単位で比較してくれよ。あ、商品名は当然つけてくれよ」

販売テーブルの名前はSalesです。販売テーブルの中に、販売数量はQuantityという列が、販売日はSaleDateがあります。ここでは結果はProductIDの昇順、SaleDateの降順で出力してください。さて、どのようにすればいいでしょうか。

ポイント 相関副問い合わせを使います

相関副問い合わせとは、副問い合わせを呼び出す側のSELECT文と、副問い合わせ側のSELECT文が結合しながら結果を作るものです。相関副問い合わせを使う場合は、外側の本文部分と内側の副問い合わせ部分に分けて考えます。一言で言うと、外側のSQLで抽出される1行ごとに、内側の副問い合わせがその都度、実行されるというものです。

解答

```sql
SELECT
  p.ProductName
, s1.SaleDate
FROM
  Sales AS s1
    JOIN
  Products AS p
    ON s1.ProductID = p.ProductID
WHERE
  s1.Quantity >
  (
  SELECT
    AVG( Quantity )
  FROM
    Sales AS s2
  WHERE
    s1.ProductID = s2.ProductID
  )
ORDER BY p.ProductID, s1.SaleDate DESC
;
```

🐾 構文チェック 🐾 相関副問い合わせ

相関副問い合わせのSQL構文は次のようになります。RDBMSによっては使えない場合もあります。ご注意ください。
相関副問い合わせではJOIN句を使った結合条件の指定は使えません。WHERE句で結合条件を指定してください。

```
SELECT
  列名
FROM
  テーブル名1 AS テーブル名1の別名
WHERE式
  (
    SELECT
      列名
    FROM
      テーブル名2 AS テーブル名2の別名
    WHERE
      テーブル名1の別名.列 比較演算子 テーブル名2の別名.列
  )
```

書き順と考え方

　この問題で重要なのは、主体と飾り、そして主体を絞り込むための条件をそれぞれ分けて考えるということです。今回、主体はSalesテーブルです。これを絞り込むための条件として使うのは、「Salesテーブルを元にした平均販売数量」のリストです。最後に飾りとしてProductsテーブルを使います。書き順についての考え方は、これまでの複合技となります。
　主体となるテーブルは次のように扱います。

```
SELECT
  s1.SaleDate
FROM
  Sales AS s1
WHERE
  s1.Quantity > ( 平均販売額 )
;
```

この条件の中の「平均販売額」を次の副問い合わせが計算します。

```
SELECT
  AVG( Quantity )
FROM
  Sales AS s2
;
```

この2つの問い合わせを以下のWHERE句で結合することになります。

```
WHERE
  s1.ProductID = s2.ProductID
```

最後に飾りの部分を結合するという手順になります。
したがって商品ごとの販売数量の平均を上回った日を一覧で出すSQLの書き順は、次のようになります。

❶ SELECT
  ;

❷ SELECT
  FROM
    Sales AS s1
  ;

❸ SELECT
  FROM
    Sales AS s1
  WHERE
    s1.Quantity >
    (
)
  ;

❹ SELECT
  FROM
    Sales AS s1
  WHERE
    s1.Quantity >
    (
     SELECT
)
  ;

❺ SELECT
  FROM
    Sales AS s1
  WHERE
  s1.Quantity >
    (
     SELECT
     FROM
       Sales AS s2
)
  ;

❻ SELECT
  FROM
    Sales AS s1
  WHERE
    s1.Quantity >
    (
     SELECT
       AVG(Quantity)
     FROM
       Sales AS s2
     WHERE
       s1.ProductID = s2.ProductID
)
  ;

❼ SELECT   s1.SaleDate

```
       FROM
         Sales AS s1
       WHERE
         s1.Quantity >
         (
          SELECT
            AVG( Quantity )
          FROM
            Sales AS s2
          WHERE
            s1.ProductID = s2.ProductID
         )
       ;

    ❽ SELECT
         s1.SaleDate
       FROM
         Sales AS s1
           JOIN
           Products AS p
             ON s1.ProductID = p.ProductID
       WHERE
         s1.Quantity >
         (
          SELECT
            AVG( Quantity )
          FROM
            Sales AS s2
          WHERE
            s1.ProductID = s2.ProductID
         )
       ;

    ❾ SELECT
         p.ProductName
       , s1.SaleDate
       FROM
         Sales AS s1
           JOIN
           Products AS p
             ON s1.ProductID = p.ProductID
       WHERE
         s1.Quantity >
         (
          SELECT
            AVG( Quantity )
          FROM
            Sales AS s2
          WHERE
            s1.ProductID = s2.ProductID
         )
       ORDER BY p.ProductID, s1.SaleDate DESC
       ;
```

このとき、SQLは次の図のような動作をします。

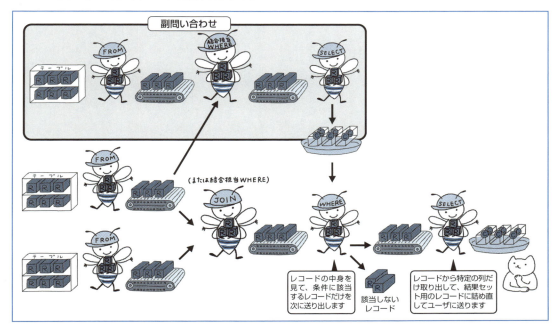

　主体となるテーブルの1レコードごとに副問い合わせが実行されて、その結果が再び主体となるテーブルのレコードを絞り込むための条件に使われています。

実行結果

　実際にやってみましょう。実行結果は次のようになるはずです。

ProductName	SaleDate
まぐろ	2006-11-14 00:00:00.0
まぐろ	2006-10-06 00:00:00.0
金魚	2007-07-19 00:00:00.0
金魚	2006-10-01 00:00:00.0
金魚	2006-09-03 00:00:00.0
ぶり	2007-03-26 00:00:00.0
ぶり	2006-09-13 00:00:00.0
あじ	2007-04-01 00:00:00.0

ワンポイントレッスン

　相関副問い合わせは、外側のSELECT文の1レコードごとに副問い合わせが呼び出されることになります。ですから、今回の場合だと副問い合わせは必ず同じProductIDのものだけで集計されることになります。そのため、普通だと集合関数を使うのだからグループ化して書かないといけないように感じるのですが、副問い合わせの中で絞り込まれる条件がすでにあるProductIDのみであるため、わざわざグループ化しなくても済むということになります。
　副問い合わせの例題（第3章その1）で書いた問題は、相関副問い合わせを使うと次のように書き換えることもできます。

```
SELECT
  *
FROM
  Products
WHERE
  NOT EXISTS
  (
    SELECT
      'X'
    FROM
      Sales
    WHERE
      Products.ProductID = Sales.ProductID
  )
;
```

　WHERE句における比較演算子EXISTSの意味は、第2章その8のワンポイントレッスンを参照してください。EXISTSのあとの副問い合わせでは、そのWHERE句の条件に合致するレコードが1件でも抽出されるかどうかを調べるだけで、抽出結果の内容を得る必要はありません。このため、副問い合わせの選択リストには、対象テーブルの項目とは無関係の単なる文字 'X' を指定して、それをSELECTするので構わないのです。＊（アスタリスク）を指定する例も多く見受けられます。

ドリルでマスター

■ 書いてみよう

前述の書き順に沿って、商品ごとの販売数量の平均を上回った日を一覧で出すSQLを書いてみてください。

練習問題

いろいろな条件で、相関副問い合わせを使ったSQL文を書いてみましょう。解答はA-13ページを参照してください。

第1問 テーブルSalesでProductIDごとのQuantityの最大値を求め、ProductID、ProductName、最大QuantityをProductID昇順で表示しなさい。

```
SELECT DISTINCT
    [                    ]
  , [                    ]
  , [         ]
FROM
    [              ] AS A
    JOIN
    [                  ] AS B
    ON [                       ] = [                  ]
WHERE
    [              ] =
    (
      SELECT
          MAX( [              ] )
      FROM
          [                ] AS C
      WHERE
          [                    ] = [                  ]
```

```
    )
ORDER BY
  A.ProductID
;
```

第2問 テーブルProductsから、テーブルSalesにあるProductIDとそのProductNameを表示しなさい（第3問および、第3章その9第3問の結果と比較しなさい）。

```
SELECT
    [        ]
  , [              ]
FROM
    [         ] AS A
WHERE
  EXISTS
  (
    SELECT
      [  ]
    FROM
      [         ] AS B
    WHERE
      [              ] = [              ]
  )
;
```

第3問 テーブルProductsから、テーブルSalesにないProductIDとそのProductNameを表示しなさい（第2問および、第3章その10第3問の結果と比較しなさい）。

```
    [        ]
    [          ]
  , [              ]
    [        ]
    [            ] AS A
    [        ]
      [          ]
```

(

　　　　　　　　　　　　　　　　AS B

　　　　　　　　　　　　　　　　　　　=
)
;

第4問 第1問をJOINを使って書きなさい。

第5問 テーブルSalesで、ProductIDごとのQuantityの平均値と最大値を求め、最大値÷10が平均値以上のProductIDとProductNameをProductID順に表示しなさい。

ここから先に進む前に！
集合演算とは 特別講義(3)

ここから先の「その7」から「その10」までは、「結合」とは異なる「集合演算」によって、「複数のテーブルを扱う」ことを学びます。

集合演算は、選択列の構成（属性）が同じ2つの問い合わせの間で、問い合わせ結果のメンバー（行）同士の和集合（UNION）、共通集合（INTERSECT）、差集合（EXCEPT：一方に存在して他方に存在しない行の集合）を求めるものです。集合を扱うSQLならではの便利な機能です。この他に、両方のメンバー（行）を単純に寄せ集めるUNION ALLもあります。結合と異なり、2つの問い合わせ結果の列を連結することはありません。

集合演算の働きと結果を下図にまとめてみました。

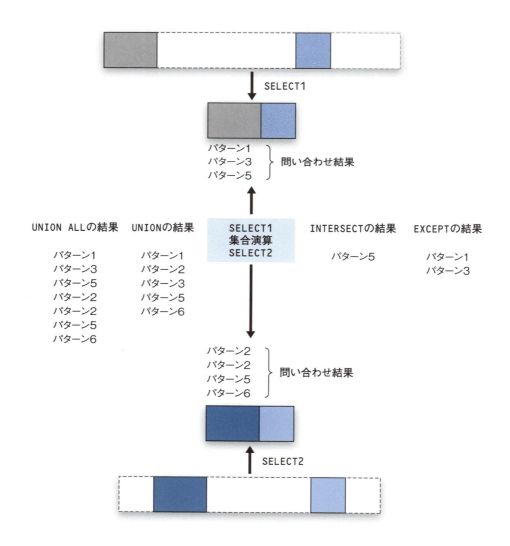

その7 UNION ALL を使う

PostgreSQL　MySQL　Oracle　SQL Server

問題

顧客と社員の名前一覧を出してくれ

ある日、あなたは上司に頼まれました。

「世の中どんな名前があるのか興味あるよね。一覧で出してくれ」

顧客テーブルの名前はCustomersです。顧客テーブルの中に、氏名はCustomerNameという列があります。社員テーブルの名前はEmployeesです。社員テーブルの中に、氏名はEmployeeNameという列があります。さて、どのようにすればいいでしょうか。

ポイント　UNION ALLを使います

UNION ALLは、2つのSELECT文を1つにします。2つのSELECT文の選択リストの列数はまったく同じでなければなりません。また、同じ順番の列同士は同じ型である必要があります。列名は異なっていても構いません。列の数が合わせられないときは、代わりにNULLなどを入れて列数を合わせます。

解答

```sql
SELECT
    CustomerName AS 氏名
FROM
    Customers
UNION ALL
SELECT
    EmployeeName AS 氏名
FROM
    Employees
;
```

構文チェック　UNION ALL

UNION ALLを使ったSQL構文は次のようになります。

```
SELECT文
UNION ALL
SELECT文
```

書き順と考え方

それぞれ、通常どおりSELECT文を書きます。そして、それらをUNION ALLでつなぎます。UNION ALLを最後に書くのは、先にそれぞれのSELECT文をきっちりと動作確認するためです。

顧客と社員の名前一覧を出すSQLの書き順は、次のようになります。

❶
```
SELECT
;
```

❷
```
SELECT
FROM
  Customers
;
```

❸
```
SELECT
  CustomerName AS 氏名
FROM
  Customers
;
```

❹
```
SELECT
  CustomerName AS 氏名
FROM
  Customers
SELECT
;
```

❺
```
SELECT
  CustomerName AS 氏名
FROM
  Customers
SELECT
FROM
  Employees
;
```

❻
```
SELECT
  CustomerName AS 氏名
FROM
  Customers
SELECT
  EmployeeName AS 氏名
FROM
  Employees
;
```

❼
```
SELECT
  CustomerName AS 氏名
FROM
  Customers
UNION ALL
SELECT
```

```
    EmployeeName AS 氏名
FROM
    Employees
;
```

このとき、SQLは下の図のような動作をします。

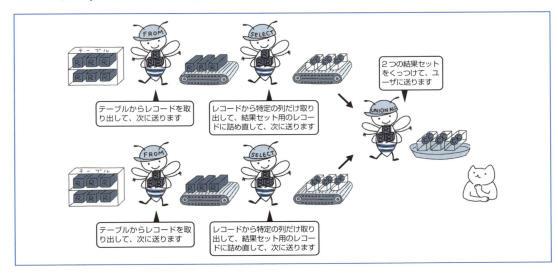

先に1つ目のSELECT文が実行されたあと、続けて2つ目のSELECT文が実行されます。

実行結果

実際にやってみましょう。実行結果は次のようになるはずです。

氏名
タマ
ハナ
ミケ
キク
ウメ
トラネコ商会
クロ
トラ

🐾 ワンポイントレッスン 🐾

　3つ以上のSELECT文もUNION ALLで連結していくことができます。UNION ALLの場合は最初のSELECT文の結果に続いて2番目のSELECT文の結果が出力されます。これらを混ぜる場合は次のその8で学ぶUNIONを使います。またRDBMSによっては、ORDER BY句を使用して結果セットをさらに並べ替えることもできます。その場合はそれぞれのSELECT文の各列に同じ別名を付けてORDER BY句で指定してください。

ドリルでマスター

書いてみよう

前述の書き順に沿って、顧客と社員の名前一覧を出すSQLを書いてみてください。

練習問題

いろいろな条件で、UNION ALL を使ったSQL文を書いてみましょう。解答はA-13ページを参照してください。

第1問 テーブル Departments と Categories を UNION ALL で1つにまとめなさい。

```
SELECT
        ▭                    AS ID
      , ▭                    AS 名前
  FROM
        ▭
UNION ALL
SELECT
        ▭                    AS ID
      , ▭                    AS 名前
  FROM
        ▭
;
```

第2問 テーブルDepartmentsとCategoriesをテーブル名を付してUNION ALLで1つにまとめなさい。
結果をテーブル名、IDの昇順に並べなさい。

```
SELECT
    '[                    ]' AS テーブル名
,   [                    ] AS ID
,   [                    ] AS 名前
FROM
    [                    ]
UNION ALL
SELECT
    '[                ]' AS テーブル名
,   [                ] AS ID
,   [                ] AS 名前
FROM
    [                ]
ORDER BY
    [                ]
,   [    ]
;
```

第3問 テーブルDepartments、CustomerClasses、Categories、PrefecturalsをUNION ALLで1つにまとめなさい。

```
[          ]
    [                ] AS ID
,   [                ] AS 名前
    [          ]
    [                    ]
    [              ]
    [          ]
    [                    ] AS ID
```

練習編

```
[_____] AS 名前
,
[----------------]
[_____]
[----------------]
[----------------]
[_____] AS ID
[_____] AS 名前
,
[----------------]
[_____]
[----------------]
[----------------]
[_____] AS ID
[_____] AS 名前
,
[----------------]
[_____]
;
```

第4問 第3問の各テーブルにテーブル名を付してUNION ALLで1つにまとめなさい。結果をテーブル名、IDの昇順に並べなさい。

第5問 テーブルSalesの中から、CustomerClassID=2（個人）の顧客でQuantityが10以上のデータと、CustomerClassID=1（法人）の顧客でQuantityが100以上のデータをUNION ALLで1つにまとめなさい。SaleID、ProductID、Quantity、CustomerClassID、CustomerNameの各項目を表示しなさい（第3章その8第5問、その9第5問、その10第4問、その10第5問の結果と比較しなさい）。

その8 UNIONを使う

PostgreSQL / MySQL / Oracle / SQL Server

練習編

問題 重複のない顧客・社員の名前一覧にしてくれ

ある日、あなたは上司に頼まれました。

「さっき出してもらった名前の一覧なんだけどさ、重複があると見辛いよね、重複を取っちゃってよ」

顧客テーブルの名前はCustomersです。顧客テーブルの中に、氏名はCustomerNameという列があります。社員テーブルの名前はEmployeesです。社員テーブルの中に、氏名はEmployeeNameという列があります。さて、どのようにすればいいでしょうか。

ポイント UNIONを使います

UNIONは、2つのSELECT文を1つにします。2つのSELECT文の選択リストの列数はまったく同じでなければなりません。また、同じ順番の列同士は同じ型である必要があります。列名は異なっていても構いません。列の数が合わせられないときは代わりにNULLなどを入れて列数を合わせます。UNION ALLとの違いは、UNION ALLが単純に結果を重ねるのに対して、UNIONは結果セット同士をさらに混ぜ合わせて重複を排除するという点です。

解答

```
SELECT
    CustomerName AS 氏名
FROM
    Customers
UNION
SELECT
    EmployeeName AS 氏名
FROM
    Employees
;
```

構文チェック UNION

UNIONを使ったSQL構文は次のようになります。

```
SELECT文
UNION
SELECT文
```

書き順と考え方

それぞれ、通常どおりSELECT文を書きます。そして、それらをUNIONでつなぎます。
重複を排除して顧客と社員の名前一覧を出すSQLの書き順は、次のようになります。

❶ `SELECT`
  `;`

❷ `SELECT`
  `FROM`
    `Customers`
  `;`

❸ `SELECT`
    `CustomerName AS 氏名`
  `FROM`
    `Customers`
  `;`

❹ `SELECT`
    `CustomerName AS 氏名`
  `FROM`
    `Customers`
  `SELECT`
  `;`

❺ `SELECT`
    `CustomerName AS 氏名`
  `FROM`
    `Customers`
  `SELECT`
  `FROM`
    `Employees`
  `;`

❻ `SELECT`
    `CustomerName AS 氏名`
  `FROM`
    `Customers`
  `SELECT`
    `EmployeeName AS 氏名`
  `FROM`
    `Employees`

```
    ;
❼ SELECT
      CustomerName AS 氏名
  FROM
      Customers
  UNION
  SELECT
      EmployeeName AS 氏名
  FROM
      Employees
  ;
```

このとき、SQLは下の図のような動作をします。

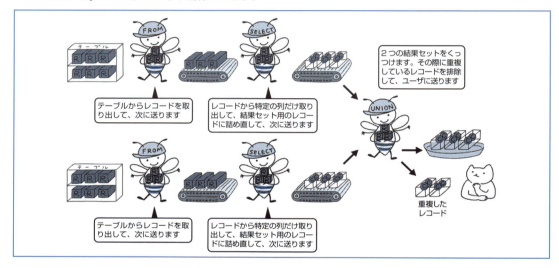

基本的にはUNION ALLと同様です。結果セット全体を混ぜて、最後に重複を除去していることに注目してください。

実行結果

実際にやってみましょう。実行結果は次のようになるはずです。

氏名
トラ
キク
スー
ゴッチン
うさぎ
プリン
ジロー

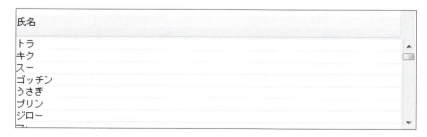

UNION ALLと同様に、3つ以上のSELECT文もUNIONで連結していくことができます。

ドリルでマスター

書いてみよう

前述の書き順に沿って、重複を排除して顧客と社員の名前一覧を出すSQLを書いてみてください。

```
















```

練習問題

いろいろな条件で、UNIONを使ったSQL文を書いてみましょう。解答はA-14ページを参照してください。

第1問 テーブルCustomersとEmployeesをUNIONで1つにまとめ、それぞれのID順に表示しなさい（第3章その9第1問、その10第1問の結果と比較しなさい）。

```
SELECT
        [                    ] AS ID
      , [                         ] AS 名前
FROM
        [                    ]
UNION
SELECT
        [                    ] AS ID
      , [                         ] AS 名前
FROM
        [                    ]
ORDER BY
```

☐
;

第2問 テーブルEmployeesの、EmployeeIDとEmployeeNameを表示させたものをUNIONで1つにまとめなさい。結果はEmployeeID順に表示しなさい（第3章その9第2問、その10第2問の結果と比較しなさい）。

```
SELECT
    ☐                    AS ID
   ,
    ☐                         AS 名前
FROM
    ☐
UNION
SELECT
    ☐                    AS ID
   ,
    ☐                         AS 名前
FROM
    ☐
ORDER BY
    ☐
;
```

第3問 テーブルProducts と SalesのProductIDをUNIONで1つにまとめ、ProductID順に表示しなさい（第3章その9第3問、その10第3問の結果と比較しなさい）。

☐
☐
☐
☐
☐
☐
☐
☐
☐

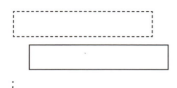
;

第4問 テーブルSalesの中から、SaleDateが'2006-10-01'と'2006-12-31'の間でQuantityが10以上のデータと、SaleDateが'2007-01-01'と'2007-03-31'の間でQuantityが10以上のデータと、SaleDateが'2007-04-01'と'2007-06-30'の間でQuantityが10以上のデータをUNIONで1つにまとめなさい。CustomerIDとProductIDを昇順に並べて表示しなさい（第3章その9第4問の結果と比較しなさい）。

第5問 テーブルSalesの中から、CustomerClassID=2（個人）の顧客でQuantityが10以上の場合と、CustomerClassID=1（法人）の顧客でQuantityが100以上の場合をUNIONで1つにまとめなさい。ProductIDをその順に表示しなさい（第3章その7第5問、その9第5問、その10第4問、その10第5問の結果と比較しなさい）。

その9 INTERSECT を使う

`PostgreSQL` `MySQL HTML参照` `Oracle` `SQL Server`

問題 給料日に販売をした社員の一覧を出してくれ

ある日、あなたは上司に頼まれました。

「給料日でもしっかりと売上を上げる奴ってやっぱり真面目な感じがするよね。一覧で出してみてくれ」

販売テーブルの名前はSalesです。給料テーブルの名前はSalaryです。社員テーブルの名前はEmployeesです。社員テーブルの中に、氏名はEmployeeNameという列があります。販売、給与、社員のそれぞれのテーブルの中に、社員IDはEmployeeIDという列があります。さて、どのようにすればいいでしょうか。

ポイント INTERSECT を使います

INTERSECTは、複数のSELECT文から共通行を取得する演算子です。UNIONやUNION ALLと同様に、列数・列のデータ型を合わせる必要があります。

解答
```
SELECT
    e.EmployeeName AS 氏名
, s.SaleDate AS 日付
FROM
    Sales AS s
      JOIN
    Employees AS e
      ON s.EmployeeID = e.EmployeeID
INTERSECT
SELECT
    e.EmployeeName AS 氏名
, s.PayDate AS 日付
FROM
    Salary AS s
      JOIN
    Employees AS e
      ON s.EmployeeID = e.EmployeeID
;
```

構文チェック INTERSECT

INTERSECTを使ったSQL構文は次のようになります。

```
SELECT文
INTERSECT
SELECT文
```

書き順と考え方

それぞれ、通常どおりSELECT文を書きます。そして、それらをINTERSECTでつなぎます。
給料日に販売をした社員の一覧を出すSQLの書き順は、次のようになります。

❶ SELECT
  ;

❷ SELECT
  FROM
    Sales
  ;

❸ SELECT
  FROM
    Sales AS s
      JOIN
    Employees AS e
  ;

❹ SELECT
  FROM
    Sales AS s
      JOIN
    Employees AS e
      ON s.EmployeeID = e.EmployeeID
  ;

❺ SELECT
    e.EmployeeName AS 氏名
  , s.SaleDate AS 日付
  FROM
    Sales AS s
      JOIN
    Employees AS e
      ON s.EmployeeID = e.EmployeeID
  ;

❻ SELECT
    e.EmployeeName AS 氏名
  , s.SaleDate AS 日付
  FROM

```
      Sales AS s
        JOIN
      Employees AS e
        ON s.EmployeeID = e.EmployeeID
  SELECT
  FROM
      Salary AS s
        JOIN
      Employees AS e
        ON s.EmployeeID = e.EmployeeID
  ;

❼ SELECT
      e.EmployeeName AS 氏名
    , s.SaleDate AS 日付
  FROM
      Sales AS s
        JOIN
      Employees AS e
        ON s.EmployeeID = e.EmployeeID
  SELECT
      e.EmployeeName AS 氏名
    , s.PayDate AS 日付
  FROM
      Salary AS s
        JOIN
      Employees AS e
        ON s.EmployeeID = e.EmployeeID
  ;

❽ SELECT
      e.EmployeeName AS 氏名
    , s.SaleDate AS 日付
  FROM
      Sales AS s
        JOIN
      Employees AS e
        ON s.EmployeeID = e.EmployeeID
  INTERSECT
  SELECT
      e.EmployeeName AS 氏名
    , s.PayDate AS 日付
  FROM
      Salary AS s
        JOIN
      Employees AS e
        ON s.EmployeeID = e.EmployeeID
  ;
```

このとき、SQLは下の図のような動作をします。

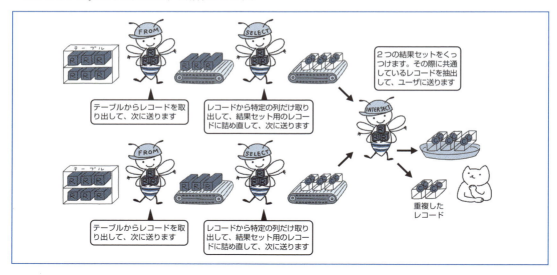

基本的にはUNIONと同様です。UNIONが重複の排除であるのに対して、ここでは共通のレコードを取り出して、その一方だけを結果セットとしています。

実行結果

実際にやってみましょう。実行結果は次のようになるはずです。

氏名	日付
マー	2006-12-25 00:00:00.0
ぴよ	2006-09-25 00:00:00.0
マル	2007-08-25 00:00:00.0
ミーヤ	2007-04-23 00:00:00.0
ミーヤ	2007-06-25 00:00:00.0
みなみ	2007-04-23 00:00:00.0
うさぎ	2006-12-25 00:00:00.0
うさぎ	2007-02-25 00:00:00.0

UNION ALLなどと同様に、3つ以上のSELECT文もINTERSECTで連結していくことができます。

ドリルでマスター

書いてみよう

前述の書き順に沿って、給料日に販売をした社員の一覧を出すSQLを書いてみてください。

練習問題

いろいろな条件で、INTERSECT を使ったSQL文を書いてみましょう。解答はA-15ページを参照してください。

第1問 テーブルCustomers と Employees を INTERSECTで1つにまとめ、それぞれのID順に表示しなさい（第3章その8第1問、その10第1問の結果と比較しなさい）。

```
SELECT
        [              ]  AS ID
      , [                    ]  AS 名前
FROM
        [            ]
INTERSECT
SELECT
        [              ]  AS ID
      , [                    ]  AS 名前
FROM
        [            ]
ORDER BY
        [      ]
;
```

第2問 テーブルEmployeesの、EmployeeIDとEmployeeNameを表示させたものをINTERSECTで1つにまとめなさい。結果はEmployeeID順に表示しなさい（第3章その8第2問、その10第2問の結果と比較しなさい）。

```
SELECT
    [              ]        AS ID
,   [                    ]  AS 名前
FROM
    [            ]
INTERSECT
SELECT
    [              ]        AS ID
,   [                    ]  AS 名前
FROM
    [            ]
ORDER BY
    [      ]
;
```

第3問 テーブルProductsとSalesのProductIDをINTERSECTで1つにまとめ、ProductID順に表示しなさい（第3章その6第2問、その8第3問、その10第3問の結果と比較しなさい）。

```
[          ]
   [              ]
[          ]
   [              ]
[ - - - - ]
   [ - - - - - - ]
[              ]
[ - - - - ]
   [          ]
[ - - - - - - ]
```

;

第4問 テーブルSalesの中から、SaleDateが'2006-10-01'と'2006-12-31'の間でQuantityが10以上のデータと、SaleDateが'2007-01-01'と'2007-03-31'の間でQuantityが10以上のデータと、SaleDateが'2007-04-01'と'2007-06-30'の間でQuantityが10以上のデータをINTERSECTで1つにまとめなさい。CustomerIDとProductIDを昇順に並べて表示しなさい（第3章その8第4問の結果と比較しなさい）。

第5問 テーブルSalesの中から、CustomerClassID=2（個人）の顧客でQuantityが10以上の場合と、CustomerClassID=1（法人）の顧客でQuantityが100以上の場合をINTERSECTで1つにまとめなさい。ProductIDをその順に表示しなさい（第3章その7第5問、その8第5問、その10第4問、その10第5問の結果と比較しなさい）。

その10 EXCEPTを使う

`PostgreSQL` `MySQL HTML参照` `Oracle HTML参照` `SQL Server`

問題

販売をしたことがない社員の一覧を出してくれ

ある日、あなたは上司に頼まれました。

「まだ販売の実績がない社員もいると思うんだ。一覧で出してみてくれ」

販売テーブルの名前はSalesです。社員テーブルの名前はEmployeesです。社員テーブルの中に、氏名はEmployeeNameという列があります。販売、社員のそれぞれのテーブルの中に、社員IDはEmployeeIDという列があります。さて、どのようにすればいいでしょうか。

ポイント EXCEPTを使います

EXCEPTは、1つ目のSELECT文で取得した行には存在するが、2つ目のSELECT文で取得した行には存在しないデータを取り出す演算子です。UNIONやUNION ALL、INTERSECTなどと同様に、列数・列のデータ型を合わせる必要があります。

解答

```
SELECT
  EmployeeName
FROM
  Employees
EXCEPT
SELECT
  e.EmployeeName
FROM
  Sales AS s
    JOIN
  Employees AS e
    ON s.EmployeeID = e.EmployeeID
;
```

🐾 構文チェック 🐾 EXCEPT

EXCEPTを使ったSQL構文は次のようになります。

```
SELECT文
EXCEPT
SELECT文
```

 書き順と考え方

それぞれ、通常どおりSELECT文を書きます。そして、それらをEXCEPTでつなぎます。
販売実績のない社員の一覧を出すSQLの書き順は、次のようになります。

❶ ```
SELECT
;
```

❷ ```
SELECT
FROM
  Employees
;
```

❸ ```
SELECT
  EmployeeName
FROM
  Employees
;
```

❹ ```
SELECT
  EmployeeName
FROM
  Employees
SELECT
;
```

❺ ```
SELECT
  EmployeeName
FROM
  Employees
SELECT
FROM
  Sales AS s
;
```

❻ ```
SELECT
  EmployeeName
FROM
  Employees
SELECT
FROM
  Sales AS s
```

```
      JOIN
    Employees AS e
      ON s.EmployeeID = e.EmployeeID
  ;
❼ SELECT
    EmployeeName
  FROM
    Employees
  SELECT
    e.EmployeeName
  FROM
    Sales AS s
      JOIN
    Employees AS e
      ON s.EmployeeID = e.EmployeeID
  ;
❽ SELECT
    EmployeeName
  FROM
    Employees
  EXCEPT
  SELECT
    e.EmployeeName
  FROM
    Sales AS s
      JOIN
    Employees AS e
      ON s.EmployeeID = e.EmployeeID
  ;
```

このとき、SQLは下の図のような動作をします。

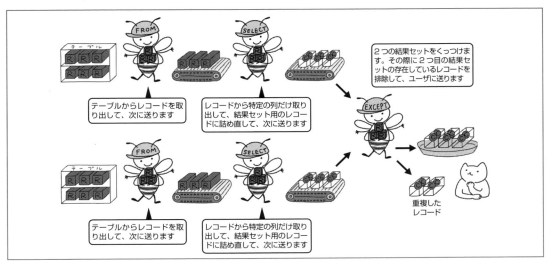

基本的にはINTERSECTと同じです。1つ目－2つ目＝EXCEPTの結果、と考えればいいでしょう。

実行結果

実際にやってみましょう。実行結果は次のようになるはずです。

```
EmployeeName
ゴッチン
マキ子
プリン
サリー
ぴー子
モンチー
猫丸
```

ワンポイントレッスン

UNION ALLなどと同様に、3つ以上のSELECT文もEXCEPTで連結していくことができます。

ドリルでマスター

書いてみよう

前述の書き順に沿って、販売実績のない社員一覧を出すSQLを書いてみてください。

練習問題

いろいろな条件で、EXCEPTを使ったSQL文を書いてみましょう。解答はA-16ページを参照してください。

第1問 テーブルCustomersとEmployeesをEXCEPTで1つにまとめ、それぞれのID順に表示しなさい（第3章その8第1問、その9第1問の結果と比較しなさい）。

```
SELECT
    [              ] AS ID
,   [                      ] AS 名前
FROM
    [              ]
EXCEPT
SELECT
    [              ] AS ID
,   [                      ] AS 名前
FROM
    [              ]
ORDER BY
    [      ]
;
```

第2問 テーブルEmployeesの、EmployeeIDとEmployeeNameを表示させたものをEXCEPTで1つにまとめなさい。結果はEmployeeID順に表示しなさい（第3章その8第2問、その9第2問の結果と比較しなさい）。

```
SELECT
    [              ] AS ID
,   [                      ] AS 名前
FROM
    [              ]
EXCEPT
SELECT
    [              ] AS ID
,   [                      ] AS 名前
FROM
    [              ]
ORDER BY
    [      ]
;
```

第3問 テーブルProductsとSalesのProductIDをEXCEPTで1つにまとめ、ProductID順に表示しなさい（第3章その6第3問、その8第3問、その9第3問の結果と比較しなさい）。

```
┌──────────────┐
│              │
└──────────────┘
┌──────────────────┐
│                  │
└──────────────────┘
┌──────────────┐
│              │
└──────────────┘
┌──────────────────┐
│                  │
└──────────────────┘
┌──────────────┐
│              │
└──────────────┘
┌──────────────┐
│              │
└──────────────┘
┌──────────────────┐
│                  │
└──────────────────┘
┌──────────────┐
│              │
└──────────────┘
┌──────────┐
│          │
└──────────┘
┌──────────────────┐
│                  │
└──────────────────┘
┌──────────────────┐
│                  │
└──────────────────┘
;
```

第4問 テーブルSalesの中の、CustomerClassID=1（法人）の顧客でQuantityが100以上のデータのProductIDから、CustomerClassID=2（個人）の顧客でQuantityが10以上のデータのProductIDを差し引いた残りのProductIDをその順に表示しなさい（第5問および、第3章その7第5問、その8第5問、その9第5問の結果と比較しなさい）。

第5問 第4問とは逆に、テーブルSalesの中の、CustomerClassID=2（個人）の顧客でQuantityが10以上のデータのProductIDから、CustomerClassID=1（法人）の顧客でQuantityが100以上のデータのProductIDを差し引いた残りのProductIDをその順に表示しなさい（第4問および、第3章その7第5問、その8第5問、その9第5問の結果と比較しなさい）。

練習編

第4章

追加・更新・削除

その1 レコードを1件追加する

`PostgreSQL`　`MySQL`　`Oracle`　`SQL Server`

練習編

問題　新商品を追加しておいてくれ

ある日、あなたは上司に頼まれました。

「新しい商品出すから、データの追加頼むね」

商品テーブルの名前はProductsです。追加する内容は、「商品名が『サカナまっしぐら』」「価格が270円」「カテゴリIDが5」です。さて、どのようにすればいいでしょうか。

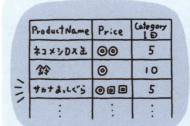

ポイント　INSERT文を使います

INSERT文とは、テーブルにレコードを追加するためのSQL文です。

解答

```
INSERT
INTO Products
(
  ProductID
, ProductName
, Price
, CategoryID
)
VALUES
(
  101
, 'サカナまっしぐら'
, 270
, 5
)
;
```

🐾 構文チェック 🐾 レコードの追加

まずはレコードを追加するSQL構文を確認しましょう。

```
INSERT
INTO テーブル名 [ ( カラム名 [, ...] ) ]
VALUES ( 値/式[, ...] )
```

のようになります。

 ## 書き順と考え方

まず、テーブルにレコードを追加しますよ、ということを宣言します。この宣言として、INSERTと書きます。

```
INSERT
;
```

次にどのテーブルに対して追加するのかを指定します。「～へ」ということで、INTO句を使います。

```
INSERT
INTO テーブル名
;
```

どの列に値を入れるのかを指定します。

```
INSERT
INTO テーブル名
( 列名 )
;
```

最後に、追加するときの値を指定します。

```
INSERT
INTO テーブル名
( 列名 )
VALUES
( 値 )
;
```

新商品のデータを追加するSQLの書き順は、次のようになります。

❶ ```
   INSERT
     ;
   ```

❷ ```
   INSERT
   INTO Products
     ;
   ```

❸ `INSERT`

```
    INTO Products
    (
      ProductID
    , ProductName
    , Price
    , CategoryID
    )
    ;
❹ INSERT
   INTO Products
   (
     ProductID
   , ProductName
   , Price
   , CategoryID
   )
   VALUES
   (
     101
   , 'サカナまっしぐら'
   , 270
   , 5
   )
   ;
```

このとき、SQLは下の図のような動作をします。

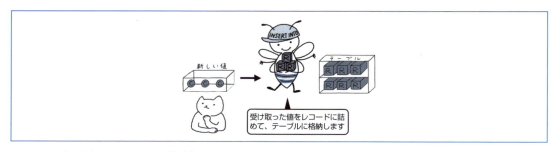

テーブル内に新しいレコードが1件追加されます。

実行結果

実際にやってみましょう。INSERTが終わったらSELECTを行って本当に入ったかどうかを確認します。実行結果は次のようになるはずです（SQUATでは「SQLの実行と判定」をクリックすると、INSERT後にSELECTの実行までを行います。以下の節でも「SQLの実行と判定」をクリックした結果を表示しています）。

ProductID	ProductCode	ProductName	Price	CategoryID
44	9044	チョロチュー	300	9
45	9045	フリスビー	450	9
46	10046	鈴	50	10
47	10047	首輪	1300	10
48	10048	リボン	800	10
49	10049	足輪	600	10
50	10050	毛止めクリップ	350	10
101		サカナまっしぐら	270	5

ドリルでマスター

書いてみよう

前述の書き順に沿って、新商品のデータを追加するSQLを書いてみてください。

練習問題

いろいろな条件で、レコードを1件追加するSQL文を書いてみましょう。解答はA-18ページを参照してください。

第1問 テーブルEmployeesに下記のデータを追加しなさい。

```
EmployeeID   :           31    Email           : moku@nekoyasudo
EmoloyeeName :       モクモク    HireFiscalYear  :           2007
Height       :          170    BirthDay        :     1989-08-08
Weight       :           60    BloodType       :             AB
```

```
 INSERT
 INTO Employees
 (
  EmployeeID
 , EmployeeName
```

第4章 追加・更新・削除 その1 レコードを1件追加する

```
    , Height
    , Weight
    , Email
    , HireFiscalYear
    , BirthDay
    , BloodType
    )
    VALUES
    (
       [    ]
    , [              ]
    , [    ]
    , [    ]
    , [            ]
    , [       ]
    , [             ]
    , [        ]
    )
    ;
```

第2問 第1問で追加したモクモクを2007-09-01付けで営業に配属するようBelongToにデータを追加しなさい。

BelongID:	35	DepartmentID:	1
EmployeeID:	31	StartDate:	2007-09-01

```
    INSERT
    INTO BelongTo
    (
       [         ]
    , [         ]
    , [              ]
    , [          ]
    )
    VALUES
    (
       [    ]
```

```
      ,
      ,
      ,
  )
  ;
```

第3問 テーブルSalesにデータを追加しなさい。

SaleID:	1006	ProductID:	40
Quantity:	10	EmployeeID:	31
CustomerID:	1	SaleDate:	2007-09-01

```
  ┌─────────┐
  └─────────┘
      INTO  ┌─────────────┐
  (
    ┌─────────────────┐
    ┌─────────────────┐
  ,
    ┌─────────────────┐
  ,
    ┌─────────────────┐
  ,
    ┌─────────────────┐
  ,
    ┌─────────────────┐
  ,
  )
  ┌─────────────┐
  └─────────────┘
  (
    ┌─────────────────┐
  ,
    ┌─────┐
  ,
    ┌─────┐
  ,
    ┌─────┐
  ,
    ┌─────────────────────┐
  ,
  )
  ;
```

第4問 テーブルSalaryにデータを1件追加しなさい。

SalaryID:	354	PayDate:	2007-09-05
EmployeeID:	31	Amount:	100,000

第5問 テーブルCustomersにデータを1件追加しなさい。

CustomerID:	31	CustomerClassID:	1
CustomerName:	有限会社 貉商会	PrefecturalID:	30
Address:	和歌山県吉野郡		

その2 副問い合わせを使って追加する

PostgreSQL　MySQL　Oracle　SQL Server

問題

今までの売上を元に特別ボーナスを出そう

ある日、あなたは上司に頼まれました。

「今までの売上を元に、みんなに特別ボーナスを出したい。ついては、支払日を2008年2月14日にして、それぞれが売り上げた金額の0.1パーセントを給与データとして作成してくれ」

売上は販売テーブルに入っています。販売テーブルの名前はSalesです。給与テーブルの名前はSalaryです。販売テーブルと給与テーブルの中に、社員IDはEmployeeIDという列があります。SalaryID列には適当な値を入れて構わないとのことです。さて、どのようにすればいいでしょうか。

ポイント　副問い合わせを使ったINSERTを行います

副問い合わせを使ったINSERTとは、INSERT文でVALUES句の代わりにSELECT文を使うものです。RDBMSによっては使えないものもあります。

解答

```
INSERT
INTO Salary
(
  SalaryID
, EmployeeID
, PayDate
, Amount
)
SELECT
  s.EmployeeID + 100000
, s.EmployeeID
, '2008-02-14'
, SUM( s.Quantity * p.Price * 0.001 )
FROM
  Sales AS s
    JOIN
  Products AS p
    ON s.ProductID = p.ProductID
GROUP BY
  s.EmployeeID + 100000
, s.EmployeeID
;
```

構文チェック　副問い合わせによる追加

まずは副問い合わせを使って追加するSQL構文を確認しましょう。

```
INSERT
INTO テーブル名
[ ( カラム名 [, ...] ) ]
SELECT文
```

のようになります。

書き順と考え方

まず、テーブルにレコードを追加しますよ、ということを宣言します。この宣言として、INSERTと書きます。

```
INSERT
;
```

次にどのテーブルに対して追加するのかをINTO句で指定します。

```
INSERT
INTO テーブル名
;
```

どの列に値を入れるのかを指定します。

```
INSERT
INTO テーブル名
( 列名 )
;
```

次に、副問い合わせを使ってデータを入れますよ、ということでSELECTと書きます。

```
INSERT
INTO テーブル名
( 列名 )
SELECT
;
```

以降は通常のSELECT文と同様に進めていきます。
　支払日を2008年2月14日にして、売り上げた金額の0.1パーセントを給与データとして作成するSQLの書き順は、次のようになります。

```
❶ INSERT
  ;

❷ INSERT
  INTO Salary
  ;
```

❸ INSERT
  INTO Salary
  (
    SalaryID
  , **EmployeeID**
  , **PayDate**
  , **Amount**
)
  ;

❹ INSERT
  INTO Salary
  (
    SalaryID
  , EmployeeID
  , PayDate
  , Amount
)
  SELECT
  ;

❺ INSERT
  INTO Salary
  (
    SalaryID
  , EmployeeID
  , PayDate
  , Amount
)
  SELECT
  FROM
    Sales AS s
  ;

❻ INSERT
  INTO Salary
  (
    SalaryID
  , EmployeeID
  , PayDate
  , Amount
)
  SELECT
  FROM
    Sales AS s
      JOIN
    Products AS p
      ON s.ProductID = p.ProductID
  ;

❼ INSERT
  INTO Salary
  (

```
    SalaryID
  , EmployeeID
  , PayDate
  , Amount
  )
  SELECT
    s.EmployeeID + 100000
  , s.EmployeeID
  FROM
    Sales AS s
      JOIN
    Products AS p
      ON s.ProductID = p.ProductID
  GROUP BY
    s.EmployeeID + 100000
    s.EmployeeID
  ;

❽ INSERT
  INTO Salary
  (
    SalaryID
  , EmployeeID
  , PayDate
  , Amount
  )
  SELECT
    s.EmployeeID + 100000
  , s.EmployeeID
  , '2008-02-14'
  , SUM( s.Quantity * p.Price * 0.001 )
  FROM
    Sales AS s
      JOIN
    Products AS p
      ON s.ProductID = p.ProductID
  GROUP BY
    s.EmployeeID + 100000
    s.EmployeeID
  ;
```

このとき、SQLは下の図のような動作をします。

まずSELECT文が実行されて結果セットが生成されます。これを順番にテーブルに追加していきます。

実行結果

実際にやってみましょう。INSERTが終わったらSELECTを行って本当に入ったかどうかを確認します。SQUATで実行（「SQLの実行と判定」をクリック）した場合は次のようになるはずです。

SalaryID	PayDate	Amount	EmployeeID
352	2007-08-25 00:00:0...	155000	29
353	2007-08-25 00:00:0...	150000	30
100004	2008-02-14 00:00:0...	27.887	4
100005	2008-02-14 00:00:0...	648.020	5
100006	2008-02-14 00:00:0...	17.256	6
100007	2008-02-14 00:00:0...	597.755	7
100008	2008-02-14 00:00:0...	509.580	8
100011	2008-02-14 00:00:0...	27.248	11

ワンポイントレッスン

書き順としてはもう1つの方法として、先にSELECT文を仕上げてから、最後にINSERT文を追記するというやり方もあります。SELECT文がきちんと書けていないと間違ったデータが追加されてしまいますから、INSERTするということに気を取られるのではなく、SELECTをしっかりと書き上げることに意識を向けてください。

ドリルでマスター

書いてみよう

前述の書き順に沿って、支払日を2008年2月14日にして売り上げた金額の0.1パーセントを給与データとして作成するSQLを書いてみてください。

練習問題

いろいろな条件で、副問い合わせを使って追加するSQL文を書いてみましょう。解答はA-18ページを参照してください。

第1問 入社年度（HireFiscalYear）が1993以前の従業員に2007-10-01付けで特別報奨金各20000を、Salaryテーブルに追加しなさい。SalaryIDはEmployeeIDに20000を加えたものを使用しなさい。

```
INSERT
INTO Salary
(
    SalaryID
,   EmployeeID
,   PayDate
,   Amount
)
SELECT
    [                    ] + 20000
,   [                    ]
,   [                            ]
,   [           ]
FROM
    [                    ]
WHERE
    [                            ] <= 1993
;
```

第2問 入社年度が1988以前の従業員をCustomersに追加しなさい。CustomerCode、CustomerIDはEmployeeIDに10000を加えたもの、Addressはすべて会社所在地の江戸川区西小岩、PrefecturalIDは13、CustomerClassIDは2、CustomerNameはEmployeeNameを用いるものとします。

```
INSERT
INTO Customers
(
    [                    ]
   ,[                    ]
   ,[                    ]
   ,[                    ]
   ,[                    ]
   ,[                    ]
)
SELECT
    [                    ] + [          ]
   ,[                    ] + [          ]
   ,[                    ]
   ,[                    ]
   ,[    ]
   ,[    ]
FROM
    [                    ]
WHERE
    [                    ] <= [          ]
;
```

第3問 テーブルSalesに対して、テーブルEmployeesでBloodType = 'O'のEmployeeIDを用いて、以下の内容でデータを追加しなさい。

```
SaleID    :    EmployeeID + 30000     ProductID :              20
Quantity  :                    10     SaleDate  :      2007-09-01
CustomerID:                    10
```

☐

☐ ☐

(
　☐
,
　☐
,
　☐
,
　☐
,
　☐
,
　☐
)
SELECT
　☐ + ☐
,
　☐
,
　☐
,
　☐
,
　☐
☐
　☐
☐
　☐ = ☐
;

第4問 テーブルSalesに対して、テーブルCustomersでPrefecturalID = 8のCustomerIDを用いて、以下の内容でデータを追加しなさい。

```
SaleID:      CustomerID + 40000    ProductID:                    21
Quantity:                    20    SaleDate:             2007-09-05
EmployeeID:                   5
```

第5問 テーブルSalesに対して、テーブルProductsでCategoryID = 5のProductIDを用いて、以下の内容でデータを追加しなさい。

```
SaleID:       ProductID + 50000    EmployeeID:                    2
Quantity:                    30    SaleDate:             2007-09-10
CustomerID:                  15
```

コラム NULLのお話

　NULL値とは「不定」であることを示すものです。より正確には「値が入っていないことを示す」ものです。数値のゼロでもなければ、文字列の長さがゼロのものでもありません。欠損値という表現をされることもあります。とにかく「NULLとはこの値だ」といえないもののことをNULL値といいます。NULL値はNULL値以外の何者でもないということです。ですので、NULLに対して算術演算子や普通の比較演算子を使うことはできません。NULL値について行えるのは、その値がNULLであるかそうでないかという判定、具体的にはIS NULLとIS NOT NULLだけです。

　カラム中にNULLがある場合は、ユーザまたはアプリケーションがそのカラムになにも入力していないことを意味します。このカラムのデータ値は、不定か、使用不可です。

　NULLは0（数値）やブランク（文字値）と同じではなく、むしろNULL値によって、数値カラムの場合の0や文字カラムの場合のブランクなどの意図的な入力と、入力がない場合とを区別できます。入力が行われていない場合は、数値カラムと文字カラムのいずれにおいてもNULLになります。

　NULLをテーブルに格納するには、次の2つの方法を使うことができます。1つ目はデフォルト値の動きを利用することです。値が明示的に入力されず、対象となるカラムに他のデフォルト設定がない場合、NULLが入力されます。2つ目は、明示的な入力です。NULL（引用符なし）と入力することで、NULL値を明示的に入力できます。

　以下の例で確認してみましょう。まず、文字型（VARCHAR）の列「c1」と数値型（INTEGER）の列「c2」をもったテーブルを作成します。

```
CREATE TABLE t1 (c1 VARCHAR(100), c2 INTEGER);
INSERT
INTO t1(c2)
VALUES (1);

INSERT
INTO t1(c1, c2)
VALUES (NULL, 2);

INSERT
INTO t1(c1, c2)
VALUES ('NULL',3);

INSERT
INTO t1(c1, c2)
VALUES ('', 4);

SELECT
   *
FROM
   t1;
```

　1件目のレコードは、カラム名c1を指定せずにINSERTを行っています。つまりc1の値はデフォルト値を採用しています。続いて2件目は明示的にNULL値を指定しています。3件目のレコードは引用符をつけているため、NULL値ではなく4バイトの文字列としてNULLの4文字が明示的に指定されたことになります。では最後のレコードのc1の値には何が入っているのでしょうか？　何も値が入っていないみたいです

から、NULL値になっているようにも感じます。そこで簡単なテストをしてみましょう。文字列の長さを調べてみるのです。NULL値は測定不可能なのですから長さなどあるわけがありません。値の長さを調べるためのLENGTH関数（SQL Serverの場合はLEN関数）を使って確認してみましょう。

```
SELECT
  LENGTH( c1 ), c2
FROM
  t1;
```

実行結果は次のようになります。

```
length c2
       1
       2
     4 3
     0 4
```

いかがでしょうか。最初の2件は紛れもなくNULL値です。文字列の長ささえ表示されません。3件目は予想通り4バイトでした。では最後のレコードはというと、ゼロと表示されています。つまりNULL値ではなく「長さがゼロの文字列」として格納されていることがこれでわかります。

　NULLは特にSQLを呼び出すホスト言語（CやJavaやPHPなど）との間で、問題となるケースがあります。NULLという値をどのように取り扱うか、ということが言語によって異なるからです。そのためNULLの取り扱いには注意を払う必要があります。一方で、何が何でもNOT NULL制約（NULLを許可しない）をテーブルの各列に付与するのも考えものです。NULLは上手に使うことによって、ビジネスロジックを表現する有効な手段になります。たとえば退職年月日という項目があったとして、ここに値が入るのは退職したときです。つまり、退職するまでこの列の値は不定なのです。これを表現するのに非常に遠い日付、たとえば9999年12月31日というふうにダミーの値を設定するのもひとつの手ではありますが、NULLを使うほうがより自然に表現できます。

　ほとんどのRDBMSにおいて、NULLはインデックスの中に反映されません。先ほどの例のc1列にインデックスをつけても1件目と2件目に対するインデックスレコードは生成されません。そのためNULL値の多い列を検索条件に指定するとパフォーマンスが低下する可能性もあります。NULLとの上手な付き合い方を意識して有効に活用してください。

その3 レコードを更新する

PostgreSQL | MySQL | Oracle | SQL Server

問題：商品価格を変更しておいてくれ

ある日、あなたは上司に頼まれました。

「全部の商品の価格を3パーセントずつ下げることになったから、変更頼むね」

商品テーブルの名前はProductsです。価格はPriceという列があります。さて、どのようにすればいいでしょうか。

ポイント UPDATE文を使います

UPDATE文とは、テーブルに入っているレコードを更新するためのSQL文です。

解答

```
UPDATE
    Products
SET
    Price = Price * 0.97
;
```

構文チェック レコードの更新

まずはレコードを更新するSQL構文を確認しましょう。

```
UPDATE
    テーブル名
SET
    カラム名 = 値/式 [, ...]
```

のようになります。

書き順と考え方

まず、テーブルのレコードを更新しますよ、ということを宣言します。この宣言として、UPDATEと書きます。

```
UPDATE
;
```

次にどのテーブルに対して更新するのかを指定します。

```
UPDATE
    テーブル名
;
```

最後に、どの列に値を入れるのかを指定します。

```
UPDATE
    テーブル名
SET
    列名 = 値
;
```

全商品の価格を3パーセントずつ下げるSQLの書き順は、次のようになります。

```
❶ UPDATE
   ;
❷ UPDATE
      Products
   ;
❸ UPDATE
      Products
   SET
      Price = Price * 0.97
   ;
```

このとき、SQLは下の図のような動作をします。

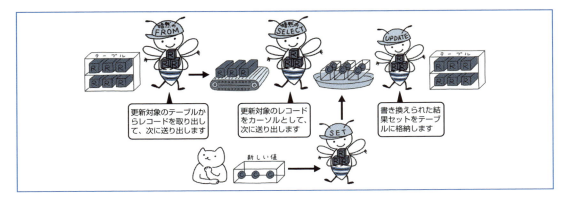

内部で更新対象のレコードを取り出して、更新後に再びテーブルに書き戻します。

実行結果

実際にやってみましょう。UPDATEが終わったらSELECTを行って本当に更新されたかどうかを確認します。SQUATで実行した場合は次のようになるはずです。

ProductID	ProductCode	ProductName	Price	CategoryID
1	1001	まぐろ	485.00	1
2	1002	金魚	33.95	1
3	1003	ぶり	339.50	1
4	1004	あじ	194.00	1
5	1005	あなご	145.50	1
6	2006	ねずみ肉	116.40	2
7	2007	とり肉	194.00	2
8	2008	豚肉	291.00	2

ワンポイントレッスン

UPDATE文は何も条件を指定しないとテーブルの中のすべてのレコードを一律に更新します。ある特定のレコードだけを更新したい場合は、更新条件を付与します。更新条件は次のその4で説明します。

またUPDATE文で更新するのは1つの列だけに限りません。カンマで区切って複数の列を指定することで、更新を行うことができます。たとえば次の例では、Price列とProductCode列を同時に更新しています。

```
UPDATE
  Products
SET
  Price = Price * 0.97
, ProductCode = ProductID + 100
;
```

実行結果は下記のようになります。

Price	ProductCode
33.95	102
339.50	103
194.00	104
145.50	105
116.40	106
194.00	107
291.00	108
179.45	109

この例でもう1つ見ていただきたい点として、ProductCode列の値としてProductID列を使っていることです。正確にはProductID列の値に100を加えたものを新しいProductCode列としてセットしています。このように、更新前の値を使って更新を行うこともできます。同じ列に対しても可能です。たとえば次のようになります。

```
UPDATE
  Products
SET
  ProductName = '<' || ProductName || '>'
;
```

実行結果は次のようになります。

```
ProductName
<まぐろ>
<金魚>
<ぶり>
<あじ>
<あなご>
<ねずみ肉>
<とり肉>
<豚肉>
```

更新は実際のシステム開発では頻繁に出てくる処理ですので、いろいろと試してみてください。

🐱 ドリルでマスター

書いてみよう

前述の書き順に沿って、全商品の価格を3パーセントずつ下げるSQLを書いてみてください。

練習問題

いろいろな条件で、レコードを更新するSQL文を書いてみましょう。解答はA-19ページを参照してください。

第1問 テーブルCustomersのCustomerCodeを現在の値に1000加えたものに変更しなさい。

```
UPDATE
    [          ]
SET
    [          ] = [          ] + 1000
;
```

第2問 テーブルEmployeesのEmailを ***@nekoyasudo から ***@nekoyasudo.co.jp に変更しなさい。

```
UPDATE
    [          ]
SET
    [          ] = [          ] || [          ]
;
```

第3問 テーブルEmployeesのHeightを+2、Weightを-5しなさい。

UPDATE
[　　　　　　　　　]
SET
　[　　　　] = [　　　　　　] + [　　]
,
　[　　　　] = [　　　　　　] - [　　]
;

第4問 テーブルDepartmentsのDepartmentNameの末尾に'部'を付けなさい。

第5問 テーブルCustomers、CustomerNameにCustomerClassID = 1の場合、'御中'、2の場合'様'を追加しなさい。

その4 特定のレコードを更新する

PostgreSQL　MySQL　Oracle　SQL Server

問題

顧客の住所を変更しておいてくれ

ある日、あなたは上司に頼まれました。

「顧客IDが5の人引越ししたそうだから、新しい住所に変更頼むね」

顧客テーブルの名前はCustomersです。住所はAddressという列があります。新住所は「世田谷区たがやせ1丁目」です。さて、どのようにすればいいでしょうか。

ポイント　更新条件付きのUPDATE文を使います

更新条件とは、テーブルに入っているある特定のレコードを更新するために指定する条件です。WHERE句で記述します。

解答

```
UPDATE
    Customers
SET
    Address = '世田谷区たがやせ1丁目'
WHERE
    CustomerID = 5
;
```

構文チェック　特定レコードの更新

まずは特定のレコードを更新するSQL構文を確認しましょう。

```
UPDATE
    テーブル名
SET
    カラム名 = 値/式 [, ...]
WHERE
    条件
```

のようになります。

書き順と考え方

まず、テーブルのレコードを更新しますよ、ということを宣言します。この宣言として、UPDATEと書きます。

```
UPDATE
;
```

次にどのテーブルに対して更新するのかを指定します。

```
UPDATE
   テーブル名
;
```

そして、更新条件を書きます。

```
UPDATE
   テーブル名
WHERE
   条件
;
```

最後に、どの列に値を入れるのかを指定します。

```
UPDATE
   テーブル名
SET
   列名 = 値
WHERE
   条件
;
```

顧客IDが5の人の住所を変更するSQLの書き順は、次のようになります。

```
❶ UPDATE
  ;
❷ UPDATE
     Customers
  ;
❸ UPDATE
     Customers
   WHERE
     CustomerID = 5
  ;
❹ UPDATE
     Customers
   SET
     Address = '世田谷区たがやせ1丁目'
   WHERE
     CustomerID = 5
  ;
```

このとき、SQLは下の図のような動作をします。

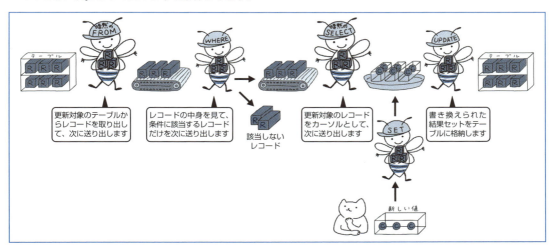

基本的には前節と同様です。WHEREによって更新対象を絞り込んでいます。

実行結果

実際にやってみましょう。UPDATEが終わったらSELECTを行って本当に更新されたかどうかを確認します。SQUATで実行した場合は次のようになるはずです。

CustomerID	CustomerC...	CustomerN...	Address	CustomerCl...	PrefecturalID
1	2001	タマ	江戸川区下…	2	13
2	2002	ハナ	江戸川区北…	2	13
3	2003	ミケ	館林市緑町	2	10
4	2004	キク	江戸川区西…	2	13
5	1005	ウメ	世田谷区た…	2	13
6	1006	トラネコ商会	札幌市南区	1	1
7	2007	クロ	台東区浅草橋	2	13
8	2008	トミ	川崎市多摩区	2	14

🐾 ワンポイントレッスン 🐾

　WHERE句を使っている理由は、RDBMSが更新対象のレコードを選び出すためにまずSELECTを行っているからです。ですから、たいていのRDBMSはSELECTに使えるのと同様のWHERE句条件を指定できます。もし更新結果が期待したものと異なる場合は、条件の指定が間違っている可能性もあります。その場合は、一度SELECT文に直して本当に更新対象のレコードを選び出せる条件になっているかを確認してみましょう。たとえば、

```
UPDATE
   Customers
SET
   Address = '世田谷区たがやせ1丁目'
WHERE
   CustomerID = 5
;
```

の場合は、

```
SELECT
  *
FROM
  Customers
WHERE
  CustomerID = 5
;
```

としてみます。複雑な更新条件を書いた場合は、思ったとおりになっていないこともありますので、このようにして確認してください。

ドリルでマスター

書いてみよう

前述の書き順に沿って、顧客IDが5の人の住所を変更するSQLを書いてみてください。

練習問題

いろいろな条件で、特定のレコードを更新するSQL文を書いてみましょう。解答はA-20ページを参照してください。

第1問 テーブルEmployees、EmployeeID=10のHeightを+5しなさい。

```
UPDATE
  [          ]
SET
  [          ] = [          ] + 5
WHERE
  [          ] = 10
;
```

第2問 テーブルSalary、EmployeeID = 5、PayDate = '2007-03-25'のAmountを +20,000しなさい。

```
UPDATE
    [            ]
SET
    [          ] = [          ] + [          ]
WHERE
    [          ] = 5
    AND
    [                    ] = [                    ]
;
```

第3問 テーブルEmployees、BloodType='AB'のHeightを -2、Weightを +3しなさい。

```
[          ]
[              ]
[    ]
    [          ] = [          ] - 2
,   [          ] = [          ] + 3
WHERE
    [          ] = [          ]
;
```

第4問 テーブルSales、CustomerID = 10、ProductID = 5、SaleDateが2007-05-31以降のデータのQuantityを +10 しなさい。

第5問 テーブルProductsで、CategoryID = 7の場合、現在のPriceが2000以上の場合は20%値下げ、現在のPriceが1000以上の場合は10%値下げに変更しなさい。現在の値が1000未満の場合は変更しないようにしなさい。

その5 更新条件に副問い合わせを使う

PostgreSQL　MySQL　Oracle　SQL Server

問題

販売個数の多いものの単価を少しアップしよう

ある日、あなたは上司に頼まれました。

「今までの販売累計数が100を超えているものについては、価格を1パーセントアップしたい。更新しておいてくれ」

売上は販売テーブルに入っています。販売テーブルの名前はSalesです。商品テーブルの名前はProductsです。さて、どのようにすればいいでしょうか。

ポイント　更新条件に副問い合わせを使ったUPDATEを行います

UPDATE文の更新条件には副問い合わせを使うこともできます。RDBMSによっては使えないものもあります。

解答

```
UPDATE
  Products
SET
  Price = Price * 1.01
WHERE
  ProductID IN
  (
    SELECT
      ProductID
    FROM
      Sales
    GROUP BY
      ProductID
    HAVING
      SUM( Quantity ) > 100
  )
;
```

構文チェック　更新条件に副問い合わせを使う

まずは更新条件に副問い合わせを使うSQL構文を確認しましょう。

```
UPDATE
    テーブル名
SET
    カラム名 = 値/式 [, ...]
WHERE
    SELECT文
```

のようになります。

書き順と考え方

まず、テーブルのレコードを更新しますよ、ということを宣言します。この宣言として、UPDATEと書きます。

```
UPDATE
;
```

次にどのテーブルに対して更新するのかを指定します。

```
UPDATE
    テーブル名
;
```

そして、更新条件に副問い合わせを書きます。副問い合わせの記述は通常のSELECT文と同様に進めていきます。

```
UPDATE
    テーブル名
WHERE
    副問い合わせ
;
```

最後に、どの列に値を入れるのかを指定します。

```
UPDATE
    テーブル名
SET
    列名 = 値
WHERE
    副問い合わせ
;
```

販売累計数が100を超えている商品の価格を1パーセントアップするSQLの書き順は、次のようになります。

❶ `UPDATE`
   `;`
❷ `UPDATE`
     `Products`
   `;`
❸ `UPDATE`

```
        Products
   WHERE
   ;
❹ UPDATE
     Products
   WHERE
     ProductID IN
   ;
❺ UPDATE
     Products
   WHERE
     ProductID IN
     (
      SELECT
     )
   ;
❻ UPDATE
     Products
   WHERE
     ProductID IN
     (
      SELECT
      FROM
        Sales
     )
   ;
❼ UPDATE
     Products
   WHERE
     ProductID IN
     (
      SELECT
      FROM
        Sales
      GROUP BY
        ProductID
     )
   ;
❽ UPDATE
     Products
   WHERE
     ProductID IN
     (
      SELECT
        ProductID
      FROM
        Sales
      GROUP BY
        ProductID
     )
   ;
❾ UPDATE
     Products
   WHERE
```

```
      ProductID IN
      (
        SELECT
          ProductID
        FROM
          Sales
        GROUP BY
          ProductID
        HAVING
          SUM( Quantity ) > 100
      )
   ;
❿ UPDATE
     Products
   SET
     Price = Price * 1.01
   WHERE
     ProductID IN
     (
       SELECT
         ProductID
       FROM
         Sales
       GROUP BY
         ProductID
       HAVING
         SUM( Quantity ) > 100
     )
   ;
```

このとき、SQLは下の図のような動作をします。

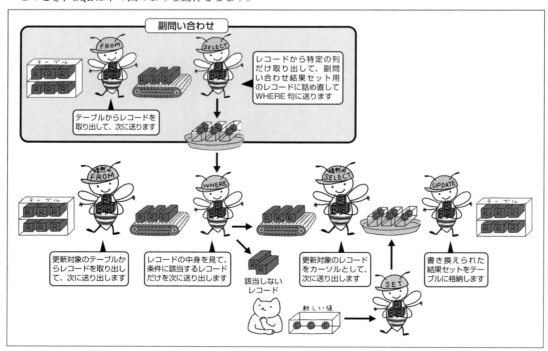

基本的にはSELECT文の副問い合わせと同様です。副問い合わせのイメージを再度確認してください。

実行結果

実際にやってみましょう。SQUATで実行した場合は次のようになります。

ProductID	ProductCode	ProductName	Price	CategoryID
1	1001	まぐろ	500	1
2	1002	金魚	35.35	1
3	1003	ぶり	350	1
4	1004	あじ	200	1
5	1005	あなご	150	1
6	2006	ねずみ肉	121.20	2
7	2007	とり肉	200	2
8	2008	豚肉	300	2

以下のSELECT文を更新の前と後で実行すると、結果を比較することができます。

```
SELECT
  s.ProductID
, p.Price
FROM
  (
    SELECT
      ProductID
    FROM
      Sales
    GROUP BY
      ProductID
    HAVING
      SUM(Quantity) > 100
  ) s
    JOIN
  Products p
    ON s.ProductID = p.ProductID
;
```

ワンポイントレッスン

副問い合わせが間違っていると、当然ながら更新の対象が間違って選び出されてしまいます。まずは副問い合わせの部分だけをしっかりと確認してください。

また、今回の例は相関副問い合わせを使って書き換えることもできます。次のようになります。

```
UPDATE
  Products
SET
  Price = Price * 1.01
WHERE
  EXISTS
  (
```

```
    SELECT
      'X'
    FROM
      Sales AS s
    WHERE
      s.ProductID = Products.ProductID
    GROUP BY
      s.ProductID
    HAVING
      SUM( s.Quantity ) > 100
  )
;
```

ドリルでマスター

書いてみよう

前述の書き順に沿って、販売累計数が100を超えている商品の価格を1パーセントアップするSQLを書いてみてください。

練習問題

いろいろな条件で、更新条件に副問い合わせを使ったSQL文を書いてみましょう。解答はA-20ページを参照してください。

第1問 一度も売上のない商品を3%値下げしなさい。

```
UPDATE
    [            ]
SET
    [        ] = [          ] * 0.97
WHERE
    [              ] NOT IN
    (
      SELECT
          [          ]
      FROM
          [      ]
    )
;
```

第2問 売上件数が10件に満たないEmployeeIDの2007-10-01支給予定の報奨金金額を5%減額しなさい。

```
UPDATE
    [            ]
SET
    [        ] = [          ] * 0.95
WHERE
    [            ] = '2007-10-01'
AND
    [              ] IN
    (
      SELECT
          [          ]
      FROM
          [          ]
      GROUP BY
          [          ]
```

```
          HAVING
               [_____] ( [_____] ) < 10
     )
     ;
```

第3問 売上件数が50件以上のEmployeeIDの2007-10-01支給予定の報奨金金額を10%増額しなさい。

```
          [_____]
          [_____]
          [__]
          [_____] = [_____] * [_____]
          [_____]
          [_____] = [_____]
          [__]
          [_____] [____]
          (
               [_____]
               [_____]
               [_____]
               [_____]
               [_____]
               [_____]
               [_____]
               [_____] ( [____] ) >= 50
          )
     ;
```

第4問 2007年8月25日までに一度も売上のない従業員の2007年8月25日支払分給与を10%値下げしなさい。

第5問 2007年8月25日までにCustomerClassID＝1の顧客に対して売上のある従業員の2007年8月25日支払分給与を10%値上げしなさい。

その6 他のテーブルの値を使って更新する

PostgreSQL　MySQL HTML参照　Oracle HTML参照　SQL Server HTML参照

練習編

問題
特別ボーナスにさらに勤続年数の分だけ上乗せしよう

ある日、あなたは上司に頼まれました。

「この前の特別ボーナスにさらに勤続年数に応じて上乗せしたい。ついては、支払日を2007年度として、入社年度との差で1年ごとに1000円ボーナスに上乗せしてくれ」

社員テーブルの名前はEmployeesです。給与テーブルの名前はSalaryです。社員テーブルと給与テーブルの中に、社員IDはEmployeeIDという列があります。社員テーブルの中にHireFiscalYearという名前で入社年度の列があります。さて、どのようにすればいいでしょうか。

ポイント 更新データ元に相関副問い合わせを使ったUPDATEを行います

更新データ元に相関副問い合わせを使ったUPDATE文は、UPDATE文でSET句にSELECT文を使うものです。RDBMSによっては使えないものもあります。

解答
```
UPDATE
  Salary
SET
  Amount
  = Amount +
  (
   SELECT
     (2007 - e.HireFiscalYear) * 1000
   FROM
     Employees AS e
   WHERE
     Salary.EmployeeID = e.EmployeeID
  )
WHERE
  PayDate = '2008-02-14'
  AND
  EXISTS
  (
   SELECT
     'X'
   FROM
     Employees AS e
   WHERE
```

```
                    Salary.EmployeeID = e.EmployeeID
        )
    ;
```

🐾 構文チェック 🐾 他のテーブルの値を使った更新

まずは他のテーブルの値を使って更新するSQL構文を確認しましょう。

```
UPDATE
    テーブル名
SET
    カラム名 = SELECT文
WHERE
    条件/SELECT文
```

のようになります。前節までのUPDATE文と同様にWHERE句による条件の指定が可能です。

書き順と考え方

まず、テーブルのレコードを更新しますよ、ということを宣言します。この宣言として、UPDATEと書きます。

```
UPDATE
;
```

次にどのテーブルに対して更新するのかを指定します。

```
UPDATE
    テーブル名
;
```

そして、更新条件を書きます。相関副問い合わせが必要となります。

```
UPDATE
    テーブル名
WHERE
    更新条件（相関副問い合わせ）
;
```

次に、どの列に値を入れるのかを指定します。

```
UPDATE
    テーブル名
SET
    列名 =
WHERE
    更新条件（相関副問い合わせ）
;
```

最後に値を導出するための相関副問い合わせを記述します。

```
UPDATE
    テーブル名
SET
    列名 = 相関副問い合わせ
WHERE
    更新条件 (相関副問い合わせ)
;
```

支払日を2007年度とし、入社年度との差で1年ごとに1000円ボーナスに上乗せするSQLの書き順は、次のようになります。

```
❶ UPDATE
  ;

❷ UPDATE
      Salary
  ;

❸ UPDATE
      Salary
  WHERE
      PayDate = '2008-02-14'
      AND
      EXISTS
      (
       SELECT
         'X'
       FROM
         Employees AS e
       WHERE
         Salary.EmployeeID = e.EmployeeID
      )
  ;

❹ UPDATE
      Salary
  SET
      Amount
      =
  WHERE
      PayDate = '2008-02-14'
      AND
      EXISTS
      (
       SELECT
         'X'
       FROM
         Employees AS e
       WHERE
         Salary.EmployeeID = e.EmployeeID
      )
```

```
    ;
❺ UPDATE
     Salary
  SET
     Amount
     = Amount +
     (
     SELECT
     )
  WHERE
     PayDate = '2008-02-14'
     AND
     EXISTS
   (
    SELECT
      'X'
    FROM
      Employees AS e
    WHERE
      Salary.EmployeeID = e.EmployeeID
   )
  ;

❻ UPDATE
     Salary
  SET
     Amount
     = Amount +
     (
     SELECT
     FROM
       Employees AS e
     )
  WHERE
     PayDate = '2008-02-14'
     AND
     EXISTS
   (
    SELECT
      'X'
    FROM
      Employees AS e
    WHERE
      Salary.EmployeeID = e.EmployeeID
   )
  ;

❼ UPDATE
     Salary
  SET
     Amount
     = Amount +
     (
```

```
      SELECT
      FROM
        Employees AS e
      WHERE
        Salary.EmployeeID = e.EmployeeID
      )
    WHERE
      PayDate = '2008-02-14'
      AND
      EXISTS
    (
    SELECT
       'X'
    FROM
      Employees AS e
    WHERE
      Salary.EmployeeID = e.EmployeeID
    )
    ;
```

❽ `UPDATE`
```
    Salary
  SET
    Amount
    = Amount +
    (
    SELECT
      (2007 - e.HireFiscalYear) * 1000
    FROM
      Employees AS e
    WHERE
      Salary.EmployeeID = e.EmployeeID
    )
  WHERE
    PayDate = '2008-02-14'
    AND
    EXISTS
  (
  SELECT
     'X'
  FROM
    Employees AS e
  WHERE
    Salary.EmployeeID = e.EmployeeID
  )
  ;
```

このとき、SQLは次ページの図のような動作をします。

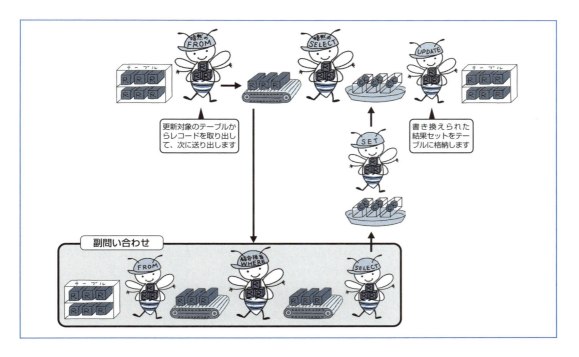

基本的にはSELECT文の相関副問い合わせと同様です。

実行結果

実際にやってみましょう。SQUATで実行した場合は次のようになります。

SalaryID	PayDate	Amount	EmployeeID
20013	2007-10-01	20000	13
20014	2007-10-01	20000	14
100004	2008-02-14	20027.887	4
100005	2008-02-14	20648.02	5
100006	2008-02-14	20017.256	6
100007	2008-02-14	19597.755	7
100008	2008-02-14	19509.58	8
100011	2008-02-14	19037.248	11

以下のSELECT文を更新の前と後で実行すると、結果を比較することができます。

```
SELECT
  e.EmployeeID
, e.EmployeeName
, 2007 - e.HireFiscalYear AS 勤続年数
, s.Amount
FROM
  Employees AS e
    JOIN
  Salary AS s
    ON s.EmployeeID = e.EmployeeID
WHERE
  s.PayDate = '2008-02-14'
```

```
    ORDER BY
      e.EmployeeID
    ;
```

ワンポイントレッスン

「他のテーブルの値を使って更新する」場合には、

(1) 更新対象を規定するための相関副問い合わせ
(2) 更新の値を導き出すための相関副問い合わせ

の2つの相関副問い合わせが必要になります。UPDATEするテーブルの1レコードごとに副問い合わせが呼ばれるので、相関副問い合わせを使ってひもづけを行っているためです。それぞれの結合条件は、(1) はUPDATE本体のWHERE句に、(2) は「SET 列名 =（相関副問い合わせ）」の相関副問い合わせ内のWHERE句に指定します。(1) で特別の結合条件がない場合は、本問題のように、EXISTS述語を使いましょう。

ドリルでマスター

書いてみよう

前述の書き順に沿って、支払日を2007年度とし、入社年度との差で1年ごとに1000円ボーナスに上乗せするSQLを書いてみてください。

練習問題

いろいろな条件で、他のテーブルの値を使って更新するSQL文を書いてみましょう。解答はA-21ページを参照してください。

第1問 顧客テーブルの住所の前に、対応する都道府県の都道府県名を連結しなさい。

```
UPDATE
    [                    ]
SET
    [                    ]
  =
  (
    SELECT
        [                         ]
    FROM
        [                         ]
    WHERE
        [                              ] = [                                      ]
  )
  || [                     ]
WHERE
    EXISTS
    (
      SELECT
          [         ]
```

```
        FROM
             [            ]
        WHERE
             [              ] = [              ]
     )
;
```

第2問 各従業員ごとに、各人の売上総額の3%を支払日が2007年8月25日の給料に加算しなさい。

```
UPDATE
     [         ]
SET
     [         ]
   = [         ] +
     (
      SELECT
         SUM( [              ]
                          * [                    ] ) * 0.03
         FROM
              [         ]
              JOIN
              [         ]
              ON  [              ] = [              ]
         WHERE
              [                    ] < '2007-08-25'
         AND
              [              ] = [              ]
     )
WHERE
     [              ] = '2007-08-25'
     [    ]
     EXISTS
     (
      [         ]
```

```
           [    ]
        [        ]
           [       ]
        [      ]
              [              ] < '2007-08-25'
     AND
           [              ] = [              ]
     )
;
```

第3問 ProductsテーブルのPriceを、対応するProductIDを持つSalesの売上金額（数量×単価）の平均に置き換えなさい。

```
     [       ]
        [           ]
     [    ]
        [       ]
        =
     (
           [           ]
        [  ] ( [                  ] [    ]
                              [                 ] )
           [       ]
        [       ]
     [    ]
              [              ] = [              ]
     )
        [       ]
        EXISTS
     (
           [       ]
```

)
;

第4問 Products テーブルのProductName の各文字列の後ろに、対応するCategoryID を持つCategories のCategoryName を連結しなさい。このときCategoryName はカッコで囲みなさい。

第4章 追加・更新・削除 その6 他のテーブルの値を使って更新する

第5問 販売個数の累計が500個以上の商品について、ProductsテーブルのProductNameを次の文字列連結を使って修正しなさい。『'n 個も売れてるヒット商品！'｜｜ProductName』 なお、n個の「n」には実際の販売個数の累計値をセットしなさい。

その7 レコードを削除する

`PostgreSQL` `MySQL` `Oracle` `SQL Server`

問題

給与データを
消去しておいてくれ

ある日、あなたは上司に頼まれました。

「給与データも随分とたまってることだし、一旦全部
消してしまおう」

給与テーブルの名前はSalaryです。さて、どのように
すればいいでしょうか。

ポイント DELETE文を使います

DELETE文は、テーブルに入っているレコードを削除するためのSQL文です。

解答

```
DELETE
FROM
    Salary
;
```

構文チェック レコードの削除

まずはレコードを削除するSQL構文を確認しましょう。

```
DELETE
FROM
    テーブル名
```

のようになります。

書き順と考え方

まず、テーブルのレコードを削除しますよ、ということを宣言します。この宣言として、DELETEと書きます。

```
DELETE
;
```

次にどのテーブルに対してレコードを削除するのかをFROM句で指定します。

```
DELETE
FROM
    テーブル名
;
```

給与データを消去するSQLの書き順は、次のようになります。

❶
```
DELETE
;
```

❷
```
DELETE
FROM
    Salary
;
```

このとき、SQLは下の図のような動作をします。

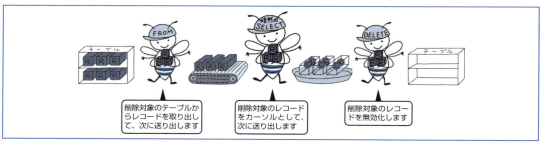

削除対象のテーブルからレコードを取り出して、次に送り出します

削除対象のレコードをカーソルとして、次に送り出します

削除対象のレコードを無効化します

テーブル内のすべてのレコードを削除対象とします。

■ 実行結果

実際にやってみましょう。DELETEが終わったらSELECTを行って本当に削除されたかどうかを確認します。何もレコードが表示されないはずです。

ワンポイントレッスン

DELETE文は何も条件を指定しないとテーブルの中のすべてのレコードを削除します。ある特定のレコードだけを削除したい場合は、削除条件を付与します。削除条件は次のその8で説明します。

ドリルでマスター

■ 書いてみよう

前述の書き順に沿って、給与データを消去するSQLを書いてみてください。

練習問題

いろいろな条件で、レコードを削除するSQL文を書いてみましょう。解答はA-22ページを参照してください。

第1問 テーブルBelongToのレコードをすべて削除しなさい。

```
DELETE
FROM
     [          ]
;
```

第2問 テーブルCustomersのレコードをすべて削除しなさい。

```
DELETE
FROM
     [          ]
;
```

第3問 テーブルSalesのレコードをすべて削除しなさい。

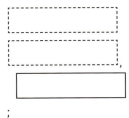

```
;
```

第4問 テーブルProductsのレコードをすべて削除しなさい。

第5問 テーブルEmployeesのレコードをすべて削除しなさい。

その8 特定のレコードを削除する

PostgreSQL　MySQL　Oracle　SQL Server

練習編

問題　退職した人のデータを削除しておいてくれ

ある日、あなたは上司に頼まれました。

「社員IDが17の人が退職しちゃったんだよ。削除しておいてね」

社員テーブルの名前はEmployeesです。社員IDはEmployeeIDという列があります。さて、どのようにすればいいでしょうか。

ポイント　削除条件付きのDELETE文を使います

削除条件とは、テーブルに入っているある特定のレコードを削除するために指定する条件のことです。WHERE句で記述します。

解答

```
DELETE
FROM
    Employees
WHERE
    EmployeeID = 17
;
```

構文チェック　特定のレコードの削除

まずは特定のレコードを削除するSQL構文を確認しましょう。

```
DELETE
FROM
    テーブル名
WHERE
    条件
```

のようになります。

書き順と考え方

まず、テーブルのレコードを削除しますよ、ということを宣言します。この宣言として、DELETEと書きます。

```
DELETE
;
```

次にどのテーブルに対してレコードを削除するのかをFROM句で指定します。

```
DELETE
FROM
    テーブル名
;
```

そして、削除条件を書きます。

```
DELETE
FROM
    テーブル名
WHERE
    条件
;
```

社員IDが17の人のデータを削除するSQLの書き順は、次のようになります。

❶
```
DELETE
;
```

❷
```
DELETE
FROM
    Employees
;
```

❸
```
DELETE
FROM
    Employees
WHERE
    EmployeeID = 17
;
```

このとき、SQLは下の図のような動作をします。

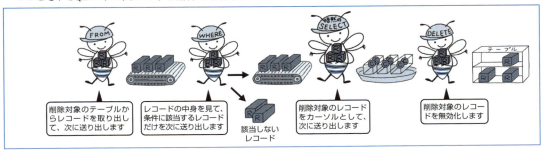

WHERE句つきのSELECT文と同様の動作で削除対象のレコードを取り出します。

実行結果

実際にやってみましょう。SQUATで実行した場合は次のようになります。削除したレコードは表示されないはずです。

ワンポイントレッスン

WHERE句を使っている理由はUPDATE文と同様で、RDBMSが更新対象のレコードを選び出すためにまずSELECTを行っているからです。ですから、削除結果が期待したのと異なる場合は、一度SELECT文に直して本当に削除対象のレコードを選び出せる条件になっているかを確認してみましょう。

ドリルでマスター

書いてみよう

前述の書き順に沿って、社員IDが17の人のデータを削除するSQLを書いてみてください。

練習問題

いろいろな条件で、特定のレコードを削除するSQL文を書いてみましょう。解答はA-22ページを参照してください。

第1問 テーブルSalesからSaleID = 1006のデータを削除しなさい。

```
DELETE
FROM
    ☐

WHERE
    ☐ = 1006
;
```

第2問 テーブルSalaryからEmployeeID = 10、PayDate = 2007-10-01のデータを削除しなさい。

```
DELETE
FROM
    [          ]
WHERE
    [          ] = 10
    AND
    [                ] = '2007-10-01'
;
```

第3問 テーブルCustomersからCustomerIDが10,000以上のデータを削除しなさい。

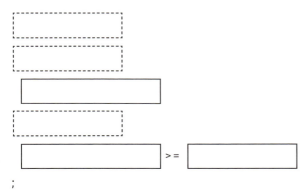

```
;
```

第4問 テーブルProductsからCategoryID = 1のデータを削除しなさい。

第5問 テーブルCustomersからCustomerClassID = 2 かつ PrefecturalIDが3、5、7、13いずれかのデータを削除しなさい。

その9 削除条件に副問い合わせを使う

PostgreSQL　MySQL　Oracle　SQL Server

練習編

問題 販売数量がゼロの商品を削除してくれ

ある日、あなたは上司に頼まれました。

「**今まで一度も販売されたことがない商品は、取り扱いをやめるのでデータを消してしまってくれ**」

商品テーブルの名前はProductsです。今までの販売に関するデータは販売テーブルに入っています。販売テーブルの名前はSalesです。販売テーブルの中に、販売数量はQuantityという列があります。また、2つのテーブルにはProductIDがあります。さて、どのようにすればいいでしょうか。

ポイント 削除条件に副問い合わせを使ったDELETEを行います

DELETE文の削除条件に副問い合わせを使うものです。RDBMSによっては使えないものもあります。

解答
```
DELETE
FROM
    Products
WHERE
    ProductID NOT IN
    (
      SELECT
        ProductID
      FROM
        Sales
    )
;
```

🐾 構文チェック 🐾 削除条件に副問い合わせを使う

削除条件に副問い合わせを使ったDELETEのSQL構文を確認しましょう。

```
DELETE
FROM
    テーブル名
WHERE
    副問い合わせ
```

のようになります。

書き順と考え方

まず、テーブルのレコードを削除しますよ、ということを宣言します。この宣言として、DELETEと書きます。

```
DELETE
;
```

次にどのテーブルに対してレコードを削除するのかをFROM句で指定します。

```
DELETE
FROM
    テーブル名
;
```

そして、削除条件に副問い合わせを書きます。副問い合わせの記述は通常のSELECT文と同様に進めていきます。

```
DELETE
FROM
    テーブル名
WHERE
    副問い合わせ
;
```

販売されたことがない商品のデータを削除するSQLの書き順は、次のようになります。

```
❶ DELETE
  ;

❷ DELETE
  FROM
      Products
  ;

❸ DELETE
  FROM
      Products
  WHERE
      ProductID NOT IN
  ;

❹ DELETE
  FROM
      Products
  WHERE
      ProductID NOT IN
      (
        SELECT
      )
  ;
```

```
❺ DELETE
  FROM
    Products
  WHERE
    ProductID NOT IN
    (
      SELECT
      FROM
        Sales
    )
  ;

❻ DELETE
  FROM
    Products
  WHERE
    ProductID NOT IN
    (
      SELECT
        ProductID
      FROM
        Sales
    )
  ;
```

このとき、SQLは次の図のような動作をします。

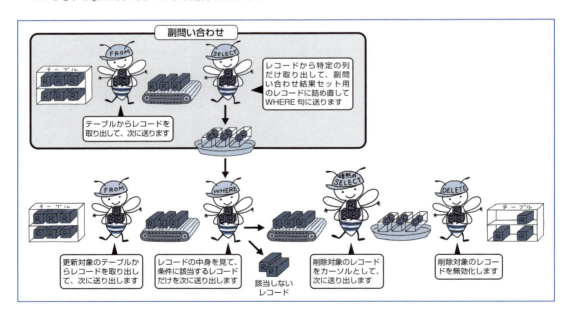

UPDATE文における副問い合わせの利用と同様の動作イメージです。

実行結果

実際にやってみましょう。SQUATで実行した場合は次のようになります。削除したレコードは表示されないはずです。

ProductID	ProductCode	ProductName	Price	CategoryID
41	9041	ネコジャラシ	870	9
42	9042	毛糸玉	210	9
43	9043	ボール	150	9
44	9044	チョロチュー	300	9
46	10046	鈴	50	10

ワンポイントレッスン

　副問い合わせが間違っていると、当然ながら削除の対象が間違って選び出されてしまいます。まずは副問い合わせの部分だけをしっかりと確認してください。

　また、今回の例は相関副問い合わせを使って書き換えることもできます。次のようになります。

```
DELETE
FROM
  Products
WHERE
  NOT EXISTS
  (
   SELECT
     'X'
   FROM
     Sales
   WHERE
     Sales.ProductID = Products.ProductID
  )
;
```

ドリルでマスター

書いてみよう

前述の書き順に沿って、販売されたことがない商品のデータを削除するSQLを書いてみてください。

練習問題

いろいろな条件で、削除条件に副問い合わせを使うSQL文を書いてみましょう。解答はA-23ページを参照してください。

第1問 テーブルSalaryからSalesにデータのないEmployeeIDを持つデータを削除しなさい。

```
DELETE
FROM
    [          ]
WHERE
    [                    ] NOT IN
    (
      SELECT
          [              ]
      FROM
          [          ]
    )
;
```

第2問 テーブルProductsからSalesでのQuantity合計が20未満のデータを削除しなさい。

```
DELETE
FROM
    [              ]
WHERE
    [                    ] NOT IN
    (
      SELECT
          [                ]
      FROM
          [            ]
      GROUP BY
          [                ]
      HAVING
```

```
            SUM(                    ) >= 20
)
;
```

第3問 テーブルCustomersから売上実績のないデータを削除しなさい。

```
┌──────────────┐
│              │
└──────────────┘
┌──────────────┐
│              │
└──────────────┘
┌────────────────────┐
│                    │
└────────────────────┘
┌──────────────┐
│              │
└──────────────┘
┌────────────────────────┐ ┌──────┐ ┌──────┐
│                        │ │      │ │      │
└────────────────────────┘ └──────┘ └──────┘
(
    ┌──────────────────┐
    │                  │
    └──────────────────┘
        ┌────────────────────────┐
        │                        │
        └────────────────────────┘
    ┌──────────────────┐
    │                  │
    └──────────────────┘
        ┌──────────────────┐
        │                  │
        └──────────────────┘
)
;
```

第4問 テーブルEmployeesから売上実績5件以下のデータを削除しなさい。

練習編

第5問 テーブルSalesからEmployeeIDが現在人事（DepartmentID=3）に所属するデータを削除しなさい。

実践編

第5章

応用問題

第2章から第4章の練習編では、ひとつのテーブルの操作、複数のテーブルの操作、そして追加・更新・削除に分けて基本となるSQLの書き方を説明し、それぞれのSQLに合った書き順の習得を目指してドリルで学習してきました。

第5章では、「実践編」として、今までに得た知識をもとに、自分で解き方を考えていただく問題を10題、出題します。「応用」と言っても、ここまでに学んできた基本がある程度身につけられていれば、決してそれほどむずかしくはないはずです。そしてまた、実際のシステム開発・運用現場で問われるSQL力は、ここで出題される応用問題のようなものということもできます。

なお、第5章の各問題において、日付のフォーマット関数を利用するケースが頻繁に発生します。

標準SQLで、日付型の項目を「2007-04」と変換する場合は

```
SUBSTR( CAST(  日付型の項目 AS VARCHAR ), 1, 7)
```

「2007年4月」と変換したければ、

```
CONCAT(
  CONCAT(
    CONCAT(SUBSTR(CAST(日付型の項目 AS VARCHAR), 1, 4)
         , '年')
       , SUBSTR(CAST(日付型の項目 AS VARCHAR), 6, 2))
  , '月')
```

とします。

各RDBMSによって使用する関数が異なります。詳しくはダウンロード提供の付属PDFの「SQL書き方ドリルリファレンス」を参照してください。

第5章の問題は、解答編（315ページ）で解説もしていますので、そちらも参考にして、ぜひ繰り返し学習してください。

その1 SQLをSELECT文で作成する

PostgreSQL | MySQL HTML参照 | Oracle | SQL Server HTML参照

問題 今あるテーブルのレコードを元に別のデータベースに移行するためのデータを作りたいときがあります。こういう場合は、INSERT文を作ってしまうと便利です。では、都道府県テーブル（Prefecturals）のデータを元に、1レコードごとのINSERT文をSELECT文を使って生成するにはどうすればよいでしょうか。右の図を参考に考えてください。図は、一番上が使用するテーブル、2番目が今回の目的、3番目がここで求められている出力結果を示しています。

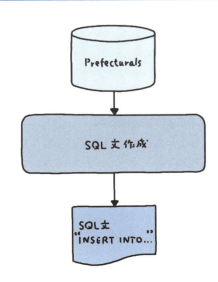

ヒント

❶ SELECT
　　' 文字列 '
　FROM
　　Prefecturals
　;

❷ 文字列連結を使います

解答 答えは以下に記入してください（スペースが足りない場合は別紙をご用意ください）

ここでは、以下のような実行結果になることを想定しています。

```
都道府県のINSERT文
INSERT INTO Pref Back VALUES (1,'北海道');
INSERT INTO Pref Back VALUES (2,'青森県');
INSERT INTO Pref Back VALUES (3,'岩手県');
INSERT INTO Pref Back VALUES (4,'宮城県');
INSERT INTO Pref Back VALUES (5,'秋田県');
INSERT INTO Pref Back VALUES (6,'山形県');
INSERT INTO Pref Back VALUES (7,'福島県');
INSERT INTO Pref Back VALUES (8,'茨城県');
INSERT INTO Pref Back VALUES (9,'栃木県');
INSERT INTO Pref Back VALUES (10,'群馬県');
```

（解答例は A-24 ページ）

第5章 応用問題

その2 月別販売額一覧の作成

問題 月別の販売額をそれぞれ合計して、一覧にしなさい。
（出力項目：年月、販売合計金額；
出力順：年月）

ヒント
❶ グループ化を使います
❷ 結合を使います
❸ 並べ替えを使います

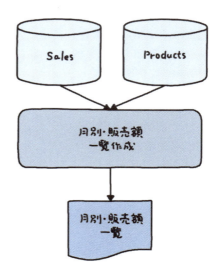

解答 答えは以下に記入してください（スペースが足りない場合は別紙をご用意ください）

ここでは、以下のような実行結果になることを想定しています。

年月	販売合計金額
2006-09	213760
2006-10	226685
2006-11	252113
2006-12	178289
2007-01	234112
2007-02	285071
2007-03	380743
2007-04	372261
2007-05	307104
2007-06	354921

（解答例は A-24 ページ）

その3 社員別・月別販売額一覧の作成

PostgreSQL / MySQL HTML参照 / Oracle HTML参照 / SQL Server HTML参照

問題 すべての社員について、月別の販売額の合計を一覧にして出しなさい。
（出力項目：EmployeeID、EmployeeName、年月、販売合計金額； 出力順：EmployeeID、EmployeeName、年月）

ヒント
1. グループ化を使います
2. 外部結合を使います
3. 並べ替えを使います

解答 答えは以下に記入してください（スペースが足りない場合は別紙をご用意ください）

ここでは、以下のような実行結果になることを想定しています。

EmployeeID	EmployeeName	年月	販売合計金額
1	シマゴロー		0
2	ゴッチン		0
3	マキ子		0
4	マル	2006-09	1590
4	マル	2006-10	6085
4	マル	2006-11	2825
4	マル	2006-12	2150
4	マル	2007-01	1330
4	マル	2007-02	1300
4	マル	2007-03	5350

（解答例はA-24ページ）

その4 商品別・月別販売額一覧の作成

PostgreSQL | MySQL HTML参照 | Oracle HTML参照 | SQL Server HTML参照

問題 商品別に、月ごとの販売額の合計を一覧にして出しなさい。ただし、商品のカテゴリIDが1または3または9のものだけで構いません。合計が5000円以下のものも表示する必要はありません。なお、最近のものから月別に並べてください。
（出力項目:ProductID、ProductName、年月、販売合計金額； 出力順：ProductID、ProductName、年月（降順））

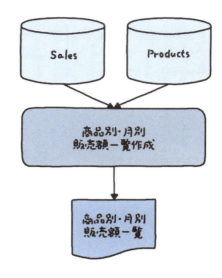

ヒント
1. グループ化を使います
2. 並び替えを使います
3. 結合を使います

解答 答えは以下に記入してください（スペースが足りない場合は別紙をご用意ください）

ここでは、以下のような実行結果になることを想定しています。

ProductID	ProductName	年月	販売合計金額
11	ねこ草	2007-07	15600
11	ねこ草	2007-04	21840
11	ねこ草	2007-01	6720
41	ネコジャラシ	2007-07	8700
41	ネコジャラシ	2007-04	43500
41	ネコジャラシ	2007-02	8700
41	ネコジャラシ	2006-11	8700
41	ネコジャラシ	2006-10	17400
43	ボール	2007-04	48000
44	チョロチュー	2007-06	6300

（解答例はA-24ページ）

その5 顧客別・商品別販売額一覧の作成

`PostgreSQL HTML参照` `MySQL` `Oracle HTML参照` `SQL Server`

問題 顧客別・商品別に販売額の合計を一覧にして出しなさい。
（出力項目：CustomerID、CustomerName、ProductName、販売合計金額 ； 出力順：CustomerID、CustomerName、ProductName）

ヒント
1. グループ化を使います
2. 結合を使います
3. 並べ替えを使います

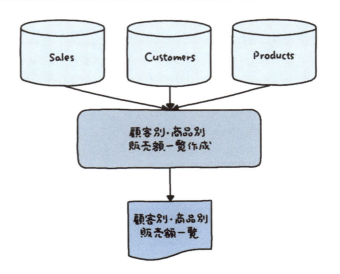

解答 答えは以下に記入してください（スペースが足りない場合は別紙をご用意ください）

ここでは、以下のような実行結果になることを想定しています。

CustomerID	CustomerName	ProductName	販売合計金額
1	タマ	ありせんべい	1600
1	タマ	いちご	2400
1	タマ	いなごチップス	360
1	タマ	こねずみジャーキー	480
1	タマ	ねこ草	240
1	タマ	ねこ草のごまあえ	230
1	タマ	ねずみ肉	120
1	タマ	ぶり	350
1	タマ	まぐろ	500
1	タマ	またたびガム	480

（解答例はA-25ページ）

その6 都道府県別・商品別販売額一覧の作成

問題 都道府県別・商品別に、販売額の合計を一覧にして出しなさい。
（出力項目：PrefecturalID、PrefecturalName、ProductName、販売合計金額； 出力順：PrefecturalID、PrefecturalName、ProductName）

ヒント
1. グループ化を使います
2. 結合を使います
3. 並べ替えを使います

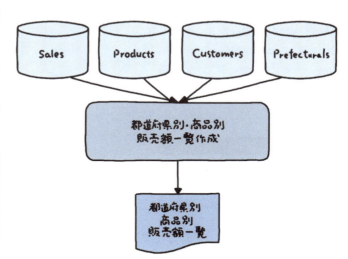

解答 答えは以下に記入してください（スペースが足りない場合は別紙をご用意ください）

ここでは、以下のような実行結果になることを想定しています。

PrefecturalID	PrefecturalName	ProductName	販売合計金額
1	北海道	いなごチップス	18000
1	北海道	こねずみジャーキー	4800
1	北海道	ねこ草	12000
1	北海道	チューチュークッキー	20000
1	北海道	ネコ缶ナンバーワン	39000
1	北海道	ネコ缶ローヤル	90000
1	北海道	上り棒	16000
1	北海道	煮干	35200
1	北海道	鰹節	158000
8	茨城県	いなごチップス	18000

（解答例は A-25 ページ）

その7 部門別・月別平均給与一覧の作成

PostgreSQL / MySQL HTML参照 / Oracle HTML参照 / SQL Server HTML参照

問題 部門別・月別の給与の平均を一覧にして出しなさい。なお、2007年に支払われたものだけで構いません。ただし部門は、給与支払日（PayDate）にその社員が所属していた部門としてください。
（出力項目：DepartmentID、DepartmentName、年月、平均給与； 出力順：DepartmentID、DepartmentName、年月）

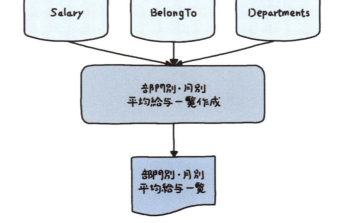

ヒント
1. グループ化を使います
2. 結合を使います
3. CASE 式を使った範囲結合を使います
4. 並べ替えを使います

解答 答えは以下に記入してください（スペースが足りない場合は別紙をご用意ください）

ここでは、以下のような実行結果になることを想定しています。

DepartmentID	DepartmentName	年月	平均給与
1	営業	2007-01	320000
1	営業	2007-02	320000
1	営業	2007-03	320000
1	営業	2007-04	340000
1	営業	2007-05	340000
1	営業	2007-06	340000
1	営業	2007-07	340000
1	営業	2007-08	340000
2	総務	2007-01	380000
2	総務	2007-02	380000

（解答例は A-25 ページ）

その8 月別・カテゴリ別販売額一覧の作成

PostgreSQL / MySQL HTML参照 / Oracle HTML参照 / SQL Server HTML参照

問題 月別・カテゴリ別の合計販売額を一覧にして出しなさい。なお、各月ごとに1行にまとめて、カテゴリは1から10までIDごとに集計して横に並べて表示しなさい。
（出力項目：年月、Ct1、Ct2、Ct3、Ct4、Ct5、Ct6、Ct7、Ct8、Ct9、Ct10； 出力順：年月）

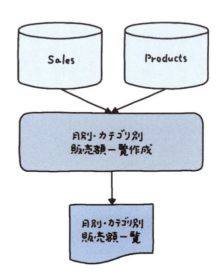

ヒント
1. クロス集計を使います
2. グループ化を使います
3. 結合を使います
4. 並べ替えを使います

解答 答えは以下に記入してください（スペースが足りない場合は別紙をご用意ください）

ここでは、以下のような実行結果になることを想定しています。

年月	CT1	CT2	CT3	CT4	CT5	CT6	CT7	CT8	CT9	CT10
2006-09	1935	9925	6420	63820	35510	5150	20700	64240	5310	750
2006-10	5360	11740	5205	34630	68620	1180	31600	42980	18420	6950
2006-11	2920	6573	2280	51960	133160	4080	12200	18280	15060	5600
2006-12	1270	2014	8175	62240	31020	2870	19200	41980	7770	1750
2007-01	885	10762	10515	25150	52920	840	54300	71520	5070	2150
2007-02	755	11926	1500	35140	90150	2010	49600	62940	9450	21600
2007-03	1985	32163	2535	83100	145550	1210	80800	31160	1590	650
2007-04	1410	26431	23280	89440	38890	2640	66700	23360	92010	8100
2007-05	2085	16829	8250	73350	57400	1800	73500	61960	9780	2150
2007-06	1070	1971	7620	29560	151460	4490	111900	38400	6450	2000

（解答例はA-26ページ）

その9 商品別3ヶ月販売推移表の作成

PostgreSQL HTML参照　**MySQL** HTML参照　**Oracle** HTML参照　**SQL Server** HTML参照

問題　商品別に、2007年6月から8月までのそれぞれの月の販売額の推移を出しなさい。なお、7月と8月は前月に対して、増加・変化なし・減少のそれぞれについて、↑・→・↓でそれぞれ表現しなさい。
（出力項目:ProductID、ProductName、6月販売金額、7月販売金額、対6月増減、8月販売金額、対7月増減；　出力順：ProductID）

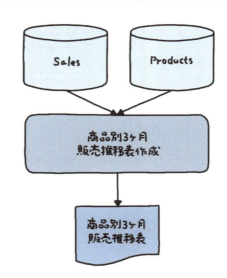

ヒント
① クロス集計を使います
② グループ化を使います
③ 外部結合を使います
④ 副問い合わせを使います
⑤ 並び替えを使います

解答　答えは以下に記入してください（スペースが足りない場合は別紙をご用意ください）

ここでは、以下のような実行結果になることを想定しています。

ProductID	ProductName	6月販売金額	7月販売金額	対6月増減	8月販売金額	対7月増減
1	まぐろ	1000	0	↓	500	↑
2	金魚	70	4305	↑	35	↓
3	ぶり	0	350	↑	0	↓
4	あじ	0	200	↑	200	→
5	あなご	0	600	↑	0	↓
6	ねずみ肉	720	600	↓	3960	↑
7	とり肉	200	200	→	0	↓
8	豚肉	300	0	↓	300	↑

（解答例はA-26ページ）

その10 顧客コードの再編

PostgreSQL / MySQL / Oracle / SQL Server

問題 Customersテーブルの CustomerCode列の値を以下の形式で全部置き換えなさい。

1桁目：CustomerClassID
2〜3桁目：PrefucturalID（足りない桁は前ゼロで埋める）
4〜7桁目：CustomerID（足りない桁は前ゼロで埋める）

例） 1010001

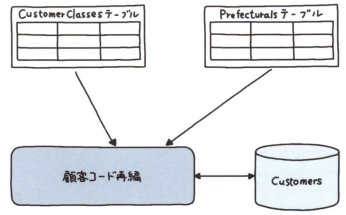

ヒント
❶ UPDATE 文を使います

解答 答えは以下に記入してください（スペースが足りない場合は別紙をご用意ください）

ここでは、以下のような実行結果になることを想定しています。

CustomerID	CustomerCode	CustomerName	Address	CustomerClassID	PrefecturalID
1	2130001	タマ	江戸川区下小岩	2	13
2	2130002	ハナ	江戸川区北小岩	2	13
3	2100003	ミケ	館林市緑町	2	10
4	2130004	キク	江戸川区西小岩	2	13
5	2130005	ウメ	中野区ねこた町	2	13
6	1010006	トラネコ商会	札幌市南区	1	1
7	2130007	クロ	台東区浅草橋	2	13
8	2140008	トラ	川崎市多摩区	2	14

（解答例は A-27 ページ）

さらなるステップアップに向けて

　いかがでしたでしょうか。ここまでの内容がすらすら書けるようになれば、実務ではずいぶんと楽になるはずです。さらにお使いの RDBMS のリファレンスを読んで、深いところまで使いこなすことを目指してください。

　今後の学習のポイントとしては次のような点が挙げられます。

- それぞれの RDBMS で用意されている関数の使い方
- 日付型・時刻型の扱い方
- ストアドファンクションの使い方

　RDBMS にはそれぞれ、豊富な関数が用意されています。これらを使うことで、もっともっとできることの幅が広がります。たとえば、文字列操作の関数などは、レポートを作成するときに重宝するでしょう。

　日付型や時刻型などの使用は、本書では最小限にとどめました。理由は RDBMS ごとの差が大きいからです。実践編ではそのいくつかが登場していますが、実際のプログラミングにおいては時間を扱うケースは非常に多いので、ぜひともドキュメントなどを見て習得してください。

　また、ストアドファンクションが利用できる RDBMS をお使いであれば、ぜひお試しください。あらかじめ用意されている関数を使うだけでなく、自前で便利な関数を作ることができるようになります。プログラミングがぐっと楽になること間違いなしです。

　SQL を使いこなせるようになると、データベースを呼び出すプログラム、たとえば Java や Ruby や PHP や Python、C# や JavaScript などのプログラミングの負担が軽減されます。しかも、SQL は相手がどの言語であっても共通です。ぜひ便利な道具として使いこなしてください。

　では、さらなるステップアップに向けて、これからもがんばりましょう！

あとがき

　「はじめに」でも触れましたが、本書が世に出たのが 2005 年の春。このあとがきを書いているのが猛暑に覆われた 2024 年の、到底冬とは思えないような気温の 11 月半ばですから、今回の改訂版がみなさまのお手元に届くころには、本書が出てからかれこれ約 20 年が経ったことになります。そして実は 2024 年は SQL が誕生 50 周年を迎えた年でもあります。個人的な話で恐縮ですが、私がはじめて SQL に触れたのは 1992 〜 3 年ごろのことですから、かれこれ 30 年以上も前のことになります。

　しかし SQL はまだまだ現役です。高校では 2022 年度から「情報 I」が必修科目になりましたが、教科書のデータベースの項の主役はリレーショナルデータベースであり、その操作言語としての SQL に触れています。また、ビッグデータやデータ駆動経営という文脈ではむしろ SQL の存在感は増しています。このように、風雪に耐えて今なお現在進行系での第一線でのテクノロジーとしてその立ち位置を確立している SQL は、もはやデータ操作言語として唯一無二の存在になったと言ってもよいのでしょう。

　SQL 自体にはいろいろと濁りや歪みもありますが、さりとて SQL を完全に代替しうるまったく新しいデータ操作専用言語が生まれる雰囲気はなく、そもそもこれを代替することを目指す動機づけ要因（モチベーション）が世界的に乏しいのも事実でしょう。これは逆に考えると「SQL さえ使えれば誰もが柔軟なデータ活用ができる時代の到来」ということでもあります。数十年後には SQL など知る必要もなくなるのかもしれません。しかし、それは今日ではないと断じることができます。数百年の歴史を持つ複式簿記が今もなお高度化しながらも経済や企業活動の基盤であるように、SQL もまたコンピュータシステムにおけるデータ活用の基盤として長く使われていくのだと強く感じます。

　これを裏付けるかのように、本書の内容は初版以来ずっと変わっていません。20 年前の SQL 文がそのまままったく問題なく現代でも動作します。今回の動作検証もその点では何らトラブルはありませんでした。しかし一方で、今回の改訂にあたりしみじみと感じされられたことがあります。それは、

「古いデータを"今"扱うということ」

です。本書の内容は初版以来変わっていないと言いました。それはつまりサンプルデータも 20 年前のままだということです。ですからサンプルデータのたとえば販売日（SaleDate）には 2006 年や 2007 年というような日付のレコードが入っていたりします。改訂にあたり単純に日付を変更するということも考えました。UPDATE 文を使えば一発で可能であるということはすでにご承知のとおりです。ですが私自身の過去の経験や最近遭遇したいくつかの現場を通じて、過去のデータがそのまま残っていてそれを使うケースが増えているということに向き合う機会はあったほうがよいのではないかと感じるようになりました。

　膨大なデータを保持し続けることが可能になった 21 世紀も四半世紀過ぎた現代において、10 数

年分以上の期間のデータを扱うというのはさほど珍しくもなくなってきました。そうすると改訂の際に（半ばズボラをかまして）古いままキャリーしてきたサンプルデータ群は「20年ほど前の販売管理システムのデータの仮想例」という、見方によっては非常に現代的なものになっているととらえることもできると（抗弁であるとの自覚はあれど）言えます。

　そしてこの目線でさらに考えると消費税率を5%のままにしているのも、結果としていろいろと考えるきっかけになると感じています。私が最初の会社に入社した1989年は、それまでの物品税が廃止され消費税が導入・運用開始された年です。当初、消費税は3%で導入されましたがこのときは特別地方消費税というものがあり、私が関わっていたシステムの中のいくつかはこの対象（つまり贅沢品認定）だったためいろいろとあったことを思い出します。これが1997年には5%にアップ。同時に特別地方消費税は廃止され、3%のときのような端数に苦しむこともなくなり素直な計算で済むようになりました。そして2014年の8%への税率アップまで15年以上5%の時代が続いたわけです。本書は改訂3版が2016年ですから、このときに8%に修正するかどうか悩んだのですが、サンプルデータの日付が2006年なのに8%はおかしいよねと私の判断で5%のままとしました。このときは「どうせ十数年後くらいに10%くるんでしょ、そのあとは20%なんでしょ」と思っていましたし、そのころにはさすがにSQLも本書も役割を終えてるんじゃないだろうか、などとも思っていました。しかし現実にはわずか5年後の2019年に10%への引き上げが行われただけでなく、軽減税率というルールも同時に適用されました。1989年当時の特別地方消費税のようなものです。ということは単に税率さえ変えればよいというものではありません。

　ここまでを経て、改めて本書を顧みたときに「2005年当時のデータとルールが残っていること」の意味ということを考え込んだのです。言い換えるなら「データライフサイクルとは何か？」ということです。私はデータベース設計の書籍も書いたりしています。詳細は割愛しますがそこでデータの寿命はアプリケーションの寿命より長いので云々、と触れていたりもします。そうです、頭ではわかっているつもりだったのです。頭でっかちだったのだと自覚せざるをえません。つまり「単なる税率の変更だけじゃ済まない場合に、データと対になるルールの履歴を管理するとは何なのか、そのルールの履歴もまたデータの一部ではないのか？」ということを考える材料としての本書だとつくづく感じたのです。

　SQLが今後もバリバリの現役として利用され続ける限り、この「古いデータを"今"扱うということ」というテーマは今後、今よりもっと、ますます大きくなってくるのだろうと強く感じています。私のような「SQLがこれからの最新のテクノロジー」だった世代ではなく、「SQLや、過去数十年分のデータがあって当たり前」の時代を軽やかに駆け抜けていくだろう若い世代の中のどなたかにこの問題意識への解決策を考えるきっかけになればと、思いと期待と願いを込めて、あえて古いままのデータでお届けさせていただきます。これはおそらく次の改訂があったとしても（あるのかな？あるとうれしいな）、今の時点では継続するつもりでいます。

　加えて、SQLトレーニングアプリであるSQUATを通じてプログラムのライフサイクルということも改めて今回感じ入った次第です。SQUATはJavaで作られています。本書ではSQUATの動作環境としてJava 8を推奨していますが、これはJRE/JDKにまつわるライセンスに関連しての

ことであり、SQUAT自体は2024年10月時点の最新環境であるJava SE 23で問題なく動作することが確認済です。Javaのバージョンについては悩ましいことも多々あるのですがそれはさておき、きちんと今なお当時のプログラムが一切何も改変せずに正常動作しています。特にエンタープライズ系システムの実務に携わっている方々には、SQUATを通じて「自分たちが作ったプログラムやシステムが20年後も使われるのかもしれない」ということに思いを馳せるきっかけにしていただけるとうれしいなと思い、今回もあえて特に何の変更もせずにお届けする次第です。

……さて、恒例の謝辞でございます。初版からずっと表紙のドリルマシンに乗ったネコちゃんをはじめとした愛らしいイラストが本書のトレードマークです。20年近くもの間、大勢の方に本書をご支持いただけてきたのはこれらのイラストのちからが大だと考えています。イラストレーターの石川氏に改めて感謝いたします。最初の改訂では和田省二氏による寄稿とタワーズクエスト社にSQUATの開発をしていただきました。前回の改訂ではさらに菅井大輔氏に動作検証と細かい修正の支援をいただきました。また相棒の可世木恭子に第1章のイラストを描いてもらいました。そして今回の改訂では、合同会社ねこもりの方々に動作検証を行っていただきました。ちなみに、ねこもりの若いスタッフからは「これ、今だとけっこうハラスメント扱いですよね？、ヤバいですよこの問題www」と草生える勢いでご指摘をいただき、このあたりも含めて20年という歳月のもたらす変化をしみじみと感じさせていただきました。社会学部中退の私としては、技術書という観点とはまた違う意味で本書の価値というのがあるのかもしれないとも思わせていただきました。各位に心から感謝いたします。私の書籍でいつもパートナーを組んでくださっている編集の細谷氏に毎度のご迷惑へのお詫びと感謝をいたします。そして、本書を一番最初に執筆してたときからずっと助けてくれた、今は亡き友人の原浩一郎氏に心からの感謝を捧げます。

最後に最愛の家族、なによりも子供たちに感謝します。前回の改訂から今回の改訂の8年の間に成人になったあなたたちのこれからの人生のどこかで本書が役に立てばうれしいです。頑張れ21世紀の社会人！

私をとりまくこれまでの、そしてこれからの、すべてのリレーションシップに感謝をこめて

THE ALFEE デビュー50周年 & GレコTV放映10周年 & 社会人生活35周年の年に

2024年11月

羽生 章洋

ご購入・ご利用の前に必ずお読みください

本書付属オンラインコンテンツとソフトウェアに関するご注意

- 本書付属オンラインコンテンツとソフトウェアとして提供されているデータ、プログラムの著作権は、すべてその作者あるいは開発元が所有します。
- 本書付属オンラインコンテンツとソフトウェアとして提供されているデータ、プログラムを使用して発生した障害などに関して、プログラムの作者、開発元、提供元、および株式会社技術評論社は一切の責任を負いません。また、使用方法およびサポートに関しても一切の責任を負いません。使用はご自身の責任で行ってください。
- 収録データ、プログラムなどの内容および使用方法に関して、電話などでのお問い合わせはお受けしておりませんので、あらかじめご了承ください。

SQUATに関する禁止事項

本書付属ソフトウェアSQUATは、本書での学習目的で使用することを許諾するもので、以下のことを禁止します。

- データ、プログラムの複製(ただし、同一個人が使用する限りにおいて、複数台のコンピュータに複製することを許容します)。
- データ、プログラムの配布(Webに掲載することを含む)、レンタル、リース、貸与、譲渡、伝送、販売(Webに掲載することを含む)
- データ、プログラムの改変、逆アセンブル、逆コンパイル
- データ、プログラムの商用目的での利用
- その他、著作権法で定められた範囲を超える使用

SQUATで使用しているオープンソースソフトウェアについて

SQUATは下記のオープンソースソフトウェア製品を使用しています。

● Seasar2、S2Dao、S2Unitについて

SQUATは以下のOSS製品を使用しています。

Seasar2、S2Dao、S2Unit

ライセンス:APL2.0

これらの製品は2016年9月にEOL(End of Life)となっています。詳細は以下をご確認ください。

https://www.seasar.org/

● H2 Database Engineについて

SQUATはH2 Database Engineを使用しています。

H2 Database Engine

ライセンス:MPL2.0

詳細は以下をご確認ください。

https://www.h2database.com/html/main.html

■著者プロフィール

羽生 章洋（はぶ あきひろ） エークリッパー・インク代表
1968年6月1日生まれ、大阪育ち。1989年、桃山学院大学社会学部社会学科中退後、2つのソフトウェア会社にてさまざまな業種・業態向けシステム開発を経て、アーサーアンダーセン・ビジネスコンサルティング（当時）に所属。その後、トレイダーズ証券株式会社（当時）とマネースクウェアジャパン株式会社（当時）の新規創業に参画、両社にて当時としては先進的なリッチクライアントとOSSによるオンライントレーディングシステムを実現。2006年から2011年まで、国立大学法人琉球大学の非常勤講師。現在は、企業向けに業務とITの架け橋としてのデジタル人材育成を中心に活動、業務担当主導の要件定義や業務設計の支援などを行っている。
カード式モデリング技法「マジカ」や要件定義図法「IFDAM」の作者。著書に『はじめよう！要件定義』、『はじめよう！プロセス設計』、『はじめよう！システム設計』、『ビジネスデザイン』（以上、技術評論社 刊）、『楽々ERDレッスン』（翔泳社 刊）、『いきいきする仕事とやる気のつくり方』（ソフトリサーチセンター 刊）など。

和田 省二（わだ しょうじ） タワーズ・クエスト株式会社代表取締役
1947年6月生まれ。1972年早稲田大学理工学部卒業。大手重工業メーカの情報システム部門にてホスト機によるシステムの企画・設計・実装に携わることから、この道に入った。1990年12月にタワーズ・クエスト株式会社を設立。業務システムの構築は、当面の問題を解決するために人為的に設計するのではなく、対象の実世界を忠実にデータモデリングして、RDBに表現することから始まると確信し、実践している。RDBを操るSQLは集合演算という基本はそのままに、CASE式・WITH句・ウィンドウ関数等が加わり、格段に使い勝手が改善され見やすくなった。
現在データモデリングによるRDB構築とSQL新機能を駆使した開発指導を行っている。

菅井 大輔（すがい だいすけ） 株式会社 DRY Factorys 取締役
1975年3月生まれ。拓殖大学外国語学部中国語学科を卒業後、IT業界で20年以上の実務を経験。ソフトウェア開発の現場で、運用保守からプロジェクトマネージャーまで、幅広い経験を積む。特に、米国のBPMオープンソースベンダーにて、開発、トレーニング（教材作成含む）、営業サポートなど、多岐にわたる業務を担当。その後はフリーランスとして、数多くのプロジェクトを期日通りに納め、成功に導く。
現在は、ITプロジェクトの案件化支援や開発効率化など、複雑かつ難易度の高い課題解決をサポートするアドバイザーとして活動し、現在に至る。

カバーデザイン	● 柴田昌房(30A)
カバー・本文イラスト（第1章以外）	● 石川 ともこ
本文イラスト（第1章）	● 可世木恭子
本文デザイン・レイアウト	● 酒徳葉子
HTMLリファレンス制作	● 塩田将晴
制作協力	● 取口敏憲・小川里子
編集	● 細谷謙吾

■SQUAT 制作
村石 恵示　エンジニア
和田 卓人　マネージャ
（タワーズ・クエスト株式会社プログラマ兼社長）

■SQUAT 動作検証
合同会社 ねこもり

WEB+DB PRESS plus シリーズ
改訂第4版 すらすらと手が動くようになる
SQL 書き方ドリル

2005年 4月10日 初　版 第1刷発行
2025年 2月 6日 第4版 第1刷発行

著　者　羽生章洋、和田省二、菅井大輔
発行者　片岡　巌
発行所　株式会社技術評論社
　　　　東京都新宿区市谷左内町 21-13
　　　　電話　03-3513-6150　販売促進部
　　　　　　　03-3513-6177　第5編集部
印刷／製本　昭和情報プロセス株式会社

定価はカバーに表示してあります。

本書の一部または全部を著作権法の定める範囲を超え、無断で複写、複製、あるいはファイルに落とすことを禁じます。

©2025 エークリッパー・インク、
タワーズ・クエスト株式会社、菅井 大輔

造本には細心の注意を払っておりますが、万一、乱丁（ページの乱れ）や落丁（ページの抜け）がございましたら、小社販売促進部までお送りください。送料小社負担にてお取り替えいたします。

ISBN978-4-297-14673-3 C3055

Printed in Japan

■ご質問について
本書の内容に関するご質問は、下記の宛先までFAXまたは書面にてお送りください。お電話によるご質問、および本書に記載されている内容以外のご質問には、一切お答えできません。あらかじめご了承ください。また、下記のWebサイトでも質問用フォームを用意しております。

宛先：〒162-0846　東京都新宿区市谷左内町 21-13
　　　株式会社技術評論社　第5編集部
　　　「改訂第4版 すらすらと手が動くようになる SQL 書き方ドリル」質問係
FAX：03-3513-6173
URL：https://www.gihyo.co.jp/

なお、ご質問の際に記載いただいた個人情報は質問の返答以外の目的には使用いたしません。また、質問の返答後は速やかに削除させていただきます。